編み物の基礎

かぎ針編み

わかりやすい
大きな文字とイラストで解説

増し方・減らし方
目と段の数え方
かぎ針の持ち方
はぎ方・とじ方
配色のかえ方

3目編み入れる

編み1目交差

リング編み目

コット編み

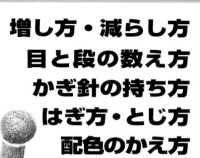

み2目一度

長編みリング編み目

長編み3目の玉編み目

細編み2目編み入れる

バッグ細編み目

シェル編み

もくじ

表紙イラスト／たちばなみよこ
表紙レイアウト／コウヒメコ　神戸雅子
編集担当／大前かおり

編み目記号

◎=日本工業規格により定められた編み目記号です。

手編み糸とかぎ針

手編み糸

手編み糸の原料には天然繊維と人造繊維があります。天然繊維は動物繊維の羊毛、獣毛、絹などと植物繊維の綿、麻があり、人造繊維にはレーヨン、ナイロン、アクリル、ポリエステル、金、銀糸などがあります。手編み糸はこれらの原料を一種類または、数種類ブレンドして紡ぎ、撚り合わせて作られています。また、撚り合わせる糸の太さや、本数で極々細から超極太までいろいろな種類の太さがそろっています。最近はニット製品のファッション性に伴って手編み糸の材質が豊富になり、スタンダードなストレートヤーンから、ネップヤーン、ループヤーン、ひげ状の糸が出ているシェニールヤーン、毛足の長い起毛糸、織ったり、打ったりしたリボンヤーンなど数々のファンシーヤーンがあります。色彩は単色でも色数が多く、また段染めやメランジカラー、多色の引きそろえなどとカラフルです。

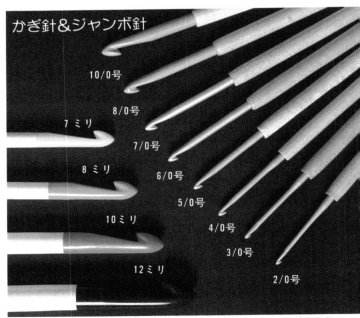

かぎ針＆ジャンボ針

10/0号
8/0号
7/0号
6/0号
5/0号
4/0号
3/0号
2/0号
7ミリ
8ミリ
10ミリ
12ミリ

資料提供クロバ

かぎ針

かぎ針編み地を編む針で、針の先端がかぎ状に曲がっています。材質は軽金属、プラスチック、竹などがあります。太さは2/0号から10/0号までをかぎ針と呼び、7ミリ以上をジャンボかぎ針といいます。また針の太さは軸の太さが一定になった部分の直径の寸法で表示します。

手編み糸とかぎ針の関係一覧表　　（針は実物大

	号数	針軸の太さ(m/m)			糸の太さ			
					極細	中細	並太	極太
かぎ針	2/0	2.0			1本どり			
	3/0	2.3			1本どり			
	4/0	2.6			1～2本どり	1本どり		
	5/0	3.0			2本どり	1本どり		
	6/0	3.5			2本どり	1～2本どり	1本どり	
	7/0	4.0			2～3本どり	2本どり	1本どり	
	8/0	5.0			2～3本どり	2本どり	1本どり	1本どり
	10/0	6.0			2～3本どり	2～3本どり	1～2本どり	1本どり
ジャンボ針	7ミリ	7.0			3～4本どり	2～3本どり	1～2本どり	1本どり
	8ミリ	8.0			4～5本どり	2～3本どり	2本どり	1本どり
	10ミリ	10.0			6～7本どり	3～4本どり	2～3本どり	1～2本
	12ミリ	12.0			8～9本どり	4～5本どり	3～4本どり	1～2本

編み糸とかぎ針の持ち方

編み糸の持ち方

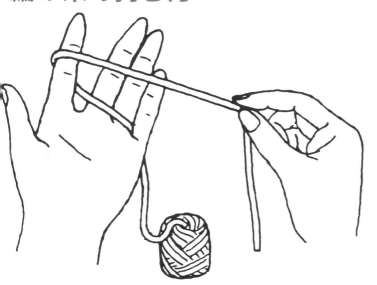

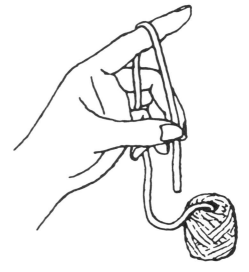

右手で糸端を持って、左手の甲側から小指と薬指の間に入れて、そのまま手のひら側を通り、中指と人差し指の間から甲側に出して人差し指に上から糸をかけて、端を左手の中指と親指で持ちます。

人差し指にかけた編み糸は、編んでいくときにかぎ針でスムーズに引き出せるように、指を動かして調節します。また、糸がずるずると伸びてしまう人は、小指にひと巻きするとよいでしょう。

かぎ針の持ち方

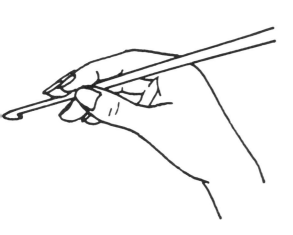

編んでいる状態

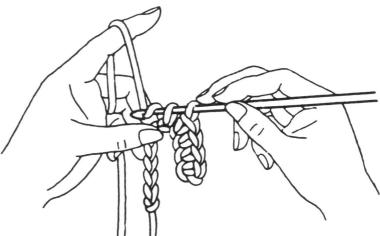

右手の親指と人差し指で針先から４cmぐらい離れたところを持ち、中指をかぎ針の上側に軽くそえます。針にかかった糸がすべるときは、そえた中指で押さえるようにします。

左手＝編むときは中指と親指で持った編み地のすぐ上で操作します。

右手＝中指の下で針を動かすようにし、人差し指と親指を屈伸させて、編み目に針を入れたり、糸を引き抜いたりします。

鎖編み目 （くさりあめ）

JIS記号

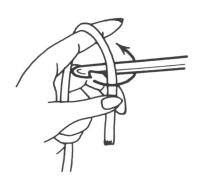

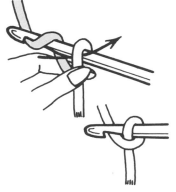

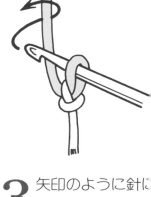

1 糸の向こう側に針を当て、矢印のように糸をすくって針を回転させます。

2 親指と中指で交差した糸を押さえて針に糸をかけ、矢印のように糸を引き出します。

3 矢印のように針に糸をかけます。

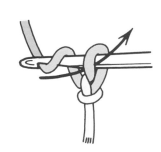

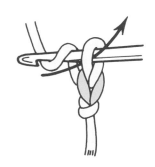

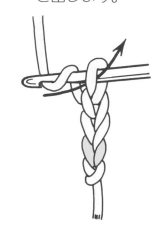

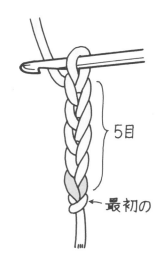

5目

←最初の

4 矢印のように引き抜きます。1目めが編めます。

5 4の要領で矢印のように引き抜きます。2目めが編めます。

6 3・4の操作をくり返して編み進みます。4目めを編むところです。

7 鎖編み目が5目めたところです。最初の目と針にかかっている輪は目と数えません。

JIS記号

引き抜き編み目

細編みの上に編む場合

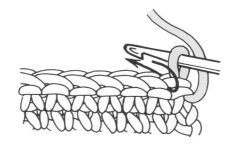

1 編み地を手前に回し、矢印の目に針を入れます。

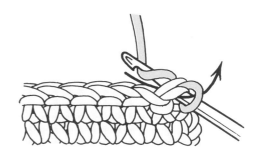

2 針に糸をかけ、矢印のように一度に引き抜きます。

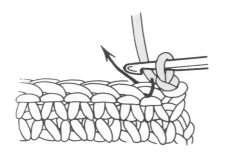

3 矢印の目に針を入れ、2の要領で針に糸をかけて一度に引き抜きます。

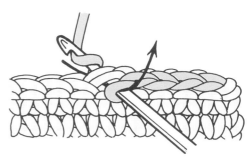

4 3の要領で針を入れ糸をかけ、矢印のように一度に引き抜く操作をくり返します。

長編みの上に編む場合

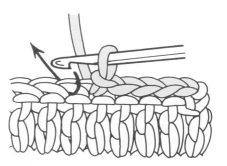

矢印の目に針を入れ、細編みの上に編む場合と同じ要領で編みます。

JIS記号

細編み目 _{こまあみめ}

糸は矢印のように
針に巻きつけるよ

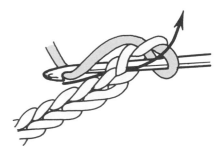

1 鎖目を1目をとばして、2目めに矢印のように針を入れます。糸を矢印のように針にかけます。

2 かけた糸を矢印のように引き出します。

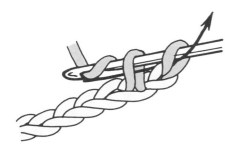

3 針に糸をかけて矢印のように二つの輪から一度に引き抜きます。

4 細編みが1目完成。矢印のように針を入れて2・3の順に編みます。

5 1〜3をくり返して編み進みます。立ち上がりの鎖目は、通常1目として数えません。

うね編み目

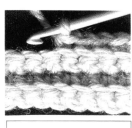

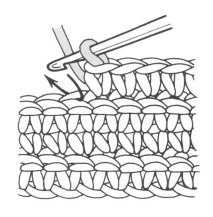

1 1段ごとに編み地を回して編みます。矢印のように前段の鎖目の向こう側の1本の糸に針を入れます。

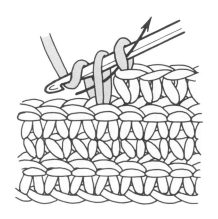

2 針に糸をかけて引き出し、さらに針に糸をかけ、矢印のように二つの輪から引き抜いて細編みを編みます。編み地がうね状の凹凸になります。

 すじ編み目

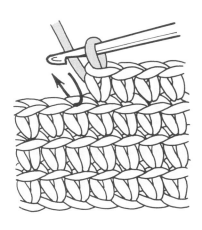

1 編み地を回さずにいつも同じ方向に編みます。矢印のように前段の鎖目の向こう側の1本の糸に針を入れます。

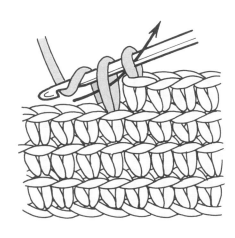

2 針に糸をかけて引き出し、さらに針に糸をかけ、矢印のように二つの輪から引き抜いて細編みを編みます。鎖目の手前の糸がすじ状に表われます。

ねじり細編み目

かぎ針ごと
1回転よ

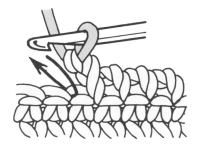

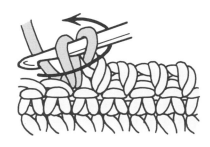

1 矢印に針を入れて、糸を引き出します。

2 針を矢印のように回して、二つの輪をねじります。

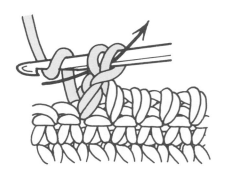

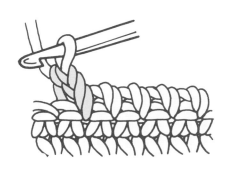

3 針に糸をかけて、矢印のように二つの輪から一度に引き抜きます。

4 1・2・3をくり返して編み進めます。

バック細編み目

JIS記号

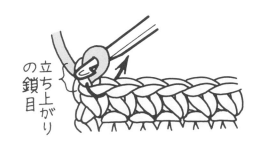

立ち上がりの鎖目

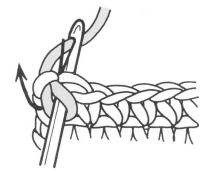

1 編み地の向きはそのままにして編み終わりで立ち上がりの鎖1目を編み、矢印のように針を入れます。

2 糸の上に針をのせ、糸を引き出します。

左から右へ進むよ

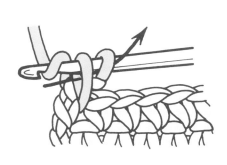

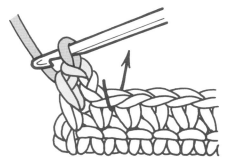

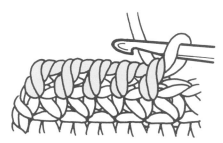

3 針に糸をかけ、矢印のように二つの輪から一度に引き抜きます。

4 バック細編みが1目編めたところです。矢印に針を入れ、2・3をくり返して編みます。

5 左から右に向かって1・2・3をくり返して編み進みます。

中長編み目

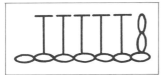

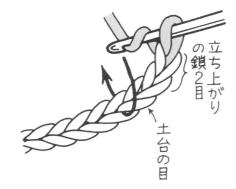

立ち上がりの鎖2目

土台の目

1 針に糸をかけ、鎖3目をとばして、4目めの鎖に針を入れます。

2 針に糸をかけて、矢印のように引き出します。

一気に引き抜くのよ

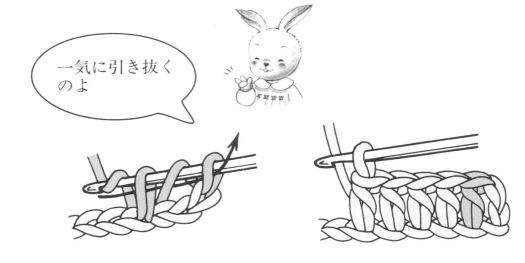

3 針に糸をかけて、矢印のように三つの輪から一度に引き抜きます。

4 1・2・3の操作をくり返します。立ち上がりの鎖2目は、中長編み1目と数えます。

長編み目

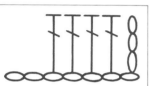

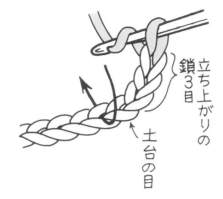

鎖3目 立ち上がりの

土台の目

1 針に糸をかけて、鎖4目をとばし、5目めに針を入れます。

2 針に糸をかけて、矢印のように引き出します。

2つずつ
2回に分けて引き抜くよ

3 針に糸をかけて、矢印のように二つの輪だけに引き抜きます。

4 もう一度針に糸をかけて、矢印のように二つの輪から一度に引き抜きます。

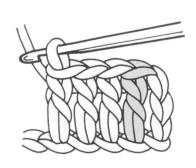

5 1・2・3・4の操作をくり返します。立ち上がりの鎖3目は長編み1目と数えます。

長々編み目

JIS記号

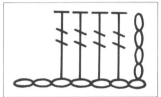

鎖4目 立ち上がりの

土台の目

1 針に糸を2回巻き、鎖5目をとばして、6目めに針を入れ、糸をかけて引き出します。

2 針に糸をかけて、矢印のように二つの輪だけに引き出します。

3 さらに、針に糸をかけて、矢印のように二つの輪だけに引き出します。

4 もう一度針に糸をかけて、矢印のように二つの輪に引き抜きます。

5 1・2・3・4の操作をくり返します。立ち上がりの鎖4目は長々編み1目と数えます。

三つ巻き長編み目

JIS記号

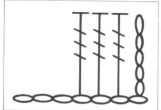

立ち上がりの鎖5目

土台の目

1 針に糸を3回巻き、鎖6目をとばして、7目めに針を入れ、糸をかけて引き出します。

2 針に糸をかけ、矢印のように針にかかっている輪の二つだけに引き出します。

3 針に糸をかけて、矢印のように二つの輪だけに引き出します。

4 針に糸をかけて、矢印のように3と同じ要領で引き出します。

5 針に糸をかけて、矢印のように残りの二つの輪に引き抜きます。

6 1・2・3・4・5の操作をくり返して編みます。立ち上がりの鎖5目は三つ巻き長編み1目と数えます。

四つ巻き長編み目

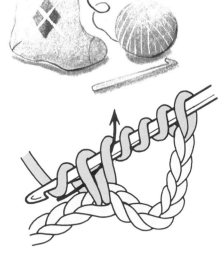

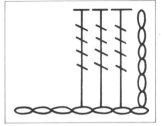

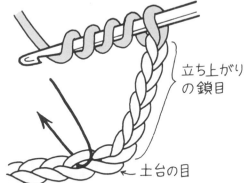

立ち上がり
の鎖目

← 土台の目

1 針に糸を4回巻き、鎖7目とばして8目めの矢印に針を入れます。

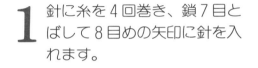

2 針に糸をかけ、針にかかっている輪を二つだけ抜きます

3 針に糸をかけ、矢印のように針にかかっている輪を二つだけ抜きます。さらに針に糸をかけて輪を二つ引き抜きます。

4 さらに、針に糸をかけて輪を二つずつ抜く操作を2回くり返します。

5 四つ巻き長編み目の完成。立ち上がりの鎖目は四つ巻き長編みの1目と数えま

JIS記号

中長編み3目の玉編み目

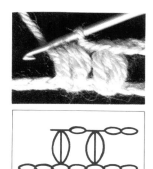

1 針に糸をかけ、矢印のように鎖目に針を入れて糸を引き出します。

2 1と同じ要領で同じ目からあと2回糸を引き出します。

たくさん針に糸がかかってるけど、一気に引き抜こうね

3 針に糸をかけて、矢印のよう一度に引き抜きます。

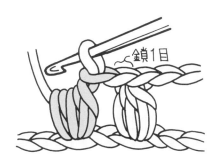

4 中長編み3目の玉編み目の完成です。

長編み3目の玉編み目

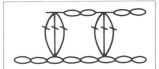

1 針に糸をかけ、鎖目に針を入れて糸を引き出し、さらに糸をかけて矢印のように引き出します。

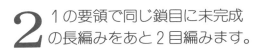

鎖2目

2 1の要領で同じ鎖目に未完成の長編みをあと2目編みます。

3 針に糸をかけて、矢印のように未完成の長編み3目と針にかかっている輪を一度に引き抜きます。

4 長編み3目の玉編み目の完成です。

長々編み5目の玉編み目

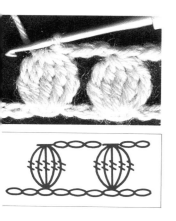

1 針に糸を2回巻き、4目めの鎖目に針を入れ、長々編みの未完成を編みます。

2 1の要領で同じ鎖目に未完成の長々編みをあと4目編みます。

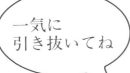

一気に引き抜いてね

3 針に糸をかけて矢印のように未完成の長々編み5目と針にかかっている輪を一度に引き抜きます。

4 長々編み5目の玉編み目の完成です。

変わり玉編み目（中長編みの場合）

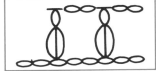

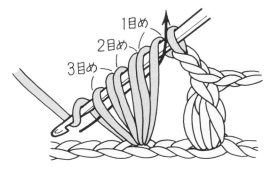

1 中長編み3目の玉編みと同じ要領で1目から未完成の中長編み3目を編み出し、針に糸をかけて矢印のように中長編みだけを一度に引き抜きます。

2 針に糸をかけて、矢印のように二つの輪を引き抜きます。

変わり玉編み目（長編みの場合）

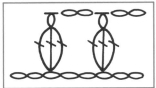

1 長編み3目の玉編みと同じ要領で1目から未完成の長編みを3目編み出し、針に糸をかけて矢印のように未完成の長編みのみ、一度に引き抜きます。

2 針に糸をかけて、矢印のように二つの輪を引き抜きます。

引き出し玉編み目

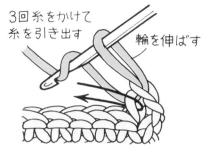

3回糸をかけて糸を引き出す

輪を伸ばす

1 針にかかっている輪を伸ばし、針に糸をかけて矢印に針を入れ、中長編み3目の玉編みの要領で3回糸を引き出します。

玉編みが横になった感じね

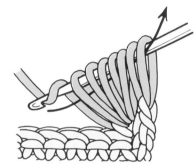

2 針に糸をかけて、矢印のように一度に引き抜きます。引き出し玉編み目の完成です。

3 中長編みの変わり玉編み目の完成です。

3 長編みの変わり玉編み目の完成です。

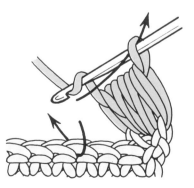

3 さらに針に糸をかけて引き出して鎖目を1目編み、前段の3目めに針を入れて細編みを編みます。

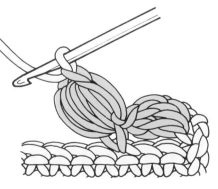

4 1～3をくり返して編み進みます。

JIS記号

中長編み5目のパプコーン編み目

1度かぎ針から目をはずしてね

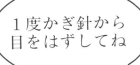

1 同じ鎖目に中長編みを5目編み入れます。

2 針を最後の目から抜いて、最初の中長編みの鎖に入れ、矢印のように針を抜いた輪に針を入れます。

3 針を入れた輪を、矢印のように鎖から引き出します。

4 針に糸をかけて、矢印のように引き抜きます。

5 3で引き出した鎖目をきつめに引き締めます。中長編み5目のパプコーン編み目の完成。

JIS記号

長編み5目のパプコーン編み目

1 同じ鎖目に長編みを5目編み入れて、最後の目から針を抜きます。最初の長編みの鎖に針を入れ、矢印のように輪に針を入れます。

2 針を入れた輪を、矢印のように鎖から引き出します。

3 針に糸をかけて、矢印のように引き抜きます。

4 2で引き出した鎖目をきつめに引き締めます。
長編み5目のパプコーン編み目の完成。

5 普通の状態で鎖編みを編みます。

長々編み6目のパプコーン編み目

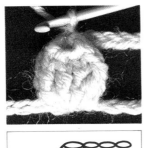

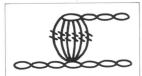

1 同じ鎖目に長々編みを6目編み入れて、最後の目から針を抜きます。

2 最初の長々編みの鎖に針を入れ、針を抜いた輪に針を入れて矢印のように輪を引き出します。

3 針に糸をかけて、矢印のように引き抜きます。

4 3で引き出した鎖目をきつめに引き締めます。
長々編み6目のパプコーン編み目の完成です。

JIS記号

中長編み1目交差

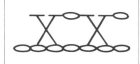

1 針に糸をかけて、矢印のように交差する左側の鎖目に針を入れ、さらに針に糸をかけて引き出します。

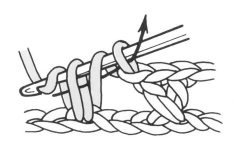

2 針に糸をかけて、矢印のように一度に引き出して中長編みを編みます。

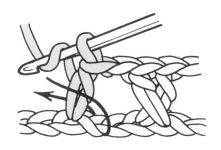

3 針に糸をかけて、矢印のように右側の鎖目に針を入れ、さらに針に糸をかけて、左側の中長編みをくるむようにして引き出します。

4 針に糸をかけて、矢印のように一度に引き出し、中長編みを編みます。

JIS記号

長編み1目交差

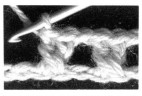

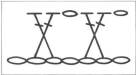

編んだ目より1目戻して針を入れてね

1 針に糸をかけて、矢印のように交差する左側の鎖目に針を入れ、さらに針に糸をかけて引き出します。

2 針に糸をかけて、二つの輪を抜いて、さらに針に糸をかけて矢印のように引き出します。

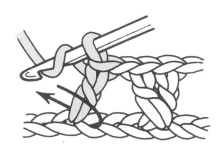

3 針に糸をかけ、矢印のようにでき上がった長編みの右側の鎖編みに針を入れて、糸をかけて長編みをくるむようにして引き出します。

4 針に糸をかけては、矢印のように二つずつ輪を抜きます。

5 針に糸をかけて、矢印のように引き抜き、長編みを編みます。

長々編み1目交差

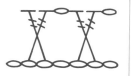

1 針に糸を2回巻いて、矢印のように交差する左側の鎖目に針を入れ、針に糸をかけて引き出します。

2 針に糸をかけて、二つの輪を抜き、もう一度糸をかけて二つの輪を抜きます。さらに糸をかけて矢印のように引き出します。

鎖1目

3 針に糸を2回巻き、矢印のようにでき上がった長々編みの右側の鎖編みに針を入れて糸をかけ、長々編みをくるむように引き出します。

4 針に糸をかけては、矢印のように輪を二つずつ抜き、長々編みを編みます。

5 並んだ長々編みの高さがそろうように編みます。

長編み1目左上交差

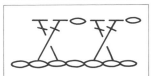

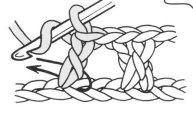

1で編んだ目のうしろ側から糸を引き出すよ

1 交差する左側の長編みを編み、針に糸をかけて矢印のように右側の鎖目に針を入れて、長編みの後ろから糸を引き出します。

2 針に糸をかけて、矢印のように二つの輪を引き抜きます。

3 さらに糸をかけて矢印のように引き出し、左側の長編みの後ろで右側の長編みが交差するように編みます。

4 二つの長編みの高さがそろうように編みます。

長編み1目右上交差

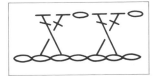

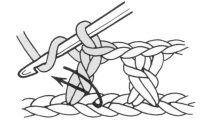

1 交差する左側の長編みを編んで、針に糸をかけ矢印のように右側の鎖目に針を入れて、長編みの手前に糸を引き出し長編みを編みます。

2 左側の長編みの手前で右側の長編みが交差するように編みます。

 # 長編み1目左上・3目交差

 # 長編み1目右上・3目交差

1 上側になる長編みを1目編んで、下側になる3目の長編みは、右端の目から矢印のように1目の長編みの後ろになるように編みます。

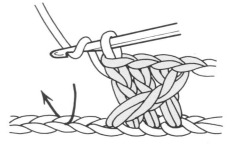

2 矢印の鎖目に針を入れて、長編みを1目編みます。

上側になる目が右に倒れるのが左上、左に倒れるのが右上よ

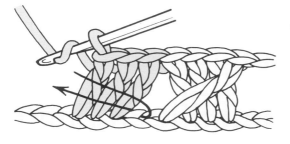

3 1目編んだ長編みに続けて、長編みを2目編みます。針に糸をかけて最初に編んだ長編みの右側の鎖目に矢印のように針を入れ、3目の長編みの手前から糸をかけて引き出します。

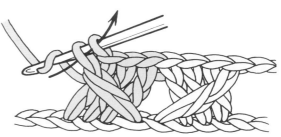

4 3目の長編みの手前に1目の長編みを編みます。

JIS記号

細編み2目編み入れる

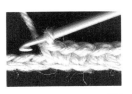

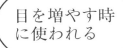
目を増やす時に使われる

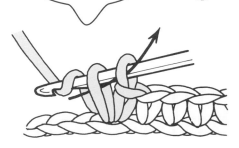

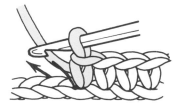

1 細編みを1目編んで、同じ鎖目に矢印のように針を入れ、針に糸をかけて引き出します。

2 針に糸をかけて矢印のように引き出し細編みを編みます。

JIS記号

細編み3目編み入れる

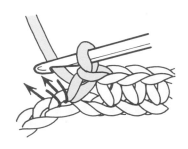

1 細編みを1目編んで、同じ鎖目に矢印のように針を入れ、細編みを編みます。

2 もう一度同じ鎖目に矢印のように針を入れて、細編みを編みます。

中長編み2目編み入れる
ちゅう なが あ ふた め あ い

V

JIS記号

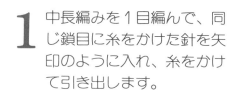

1 中長編みを1目編んで、同じ鎖目に糸をかけた針を矢印のように入れ、糸をかけて引き出します。

3 一つの鎖目から細編みが2目編み出されて、1目増し目されます。

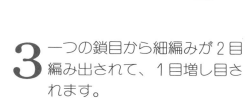

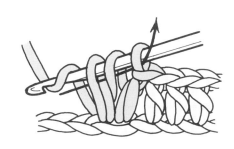

2 さらに針に糸をかけ、矢印のように一度に引き抜いて中長編みを編みます。

3 一つの鎖目から細編みが3目編み出され、2目増し目されます。

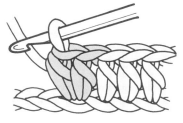

3 1つの鎖目から中長編みが2目編み出されて1目増し目されます。

中長編み３目編み入れる

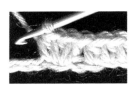

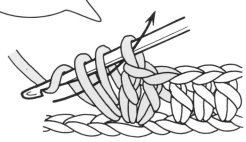

1 中長編みを１目編んで、同じ鎖目に糸をかけた針を矢印のように入れて中長編みを編みます。

2 もう一度同じ鎖目に中長編みを編み入れます。

長編み２目編み入れる

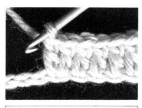

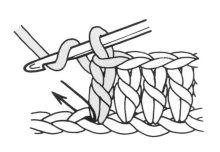

1 長編みを１目編んで、同じ鎖目に糸をかけた針を矢印のように入れ、糸をかけて引き出します。

2 針に糸をかけて二つの輪を矢印のように抜き、さらに糸をかけて残りの二つの輪を抜いて長編みを編みます。

長編み3目編み入れる

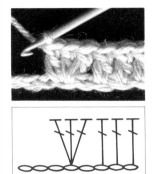

1 長編みを1目編んで、同じ鎖目に矢印のように長編みを2目編み入れます。

2 矢印のように3目めの長編みを編みます。

3 一つの鎖目から長編みが3目編み出されて2目増し目されます。

3 一つの鎖目から中長編みが3目編み出されて2目増し目されます。

3 一つの鎖目から長編みが2目編み出されて1目増し目されます。

松編み（長編み５目の場合）

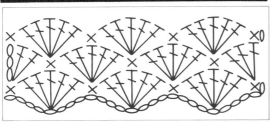

立ち上がりの1目

1 細編みを１目編み、４目めに長編みを５目編み入れます。

2 ３目とばして、４目めに細編みを１目編み入れます。

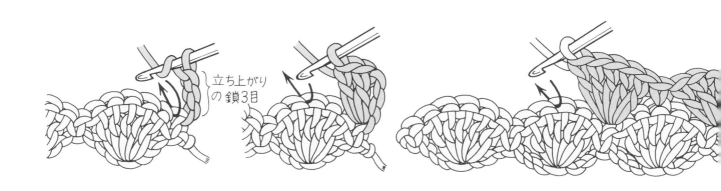

立ち上がりの鎖3目

3 次の段は鎖３目で立ち上がり、矢印（前段の細編み）に針を入れて長編みを２目編みます。

4 矢印（前段の長編み５目の中央の目）に針を入れて、細編みを編みます。

5 同じ要領で前段の細編みに長編み５目中央の長編みに細編み１目編みます。

シェル編み

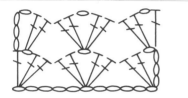

1 鎖3目で立ち上がり、鎖編みを1目編み、針に糸をかけて矢印の鎖目に針を入れて、長編みを編みます。

鎖1目立ち上がりの鎖3目

2 さらに同じ目に長編み1目を編み入れます。

3 針に糸をかけ、4目とばして、5目めに針を入れて長編みを2目編み、さらに鎖編みを1目編みます。

4 同じ鎖目に矢印のように長編み2目を編み入れます。

鎖1目

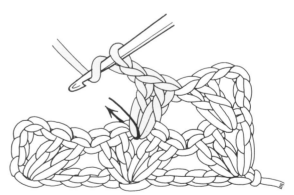

5 次の段は前段の鎖目に矢印のように針を入れて3・4の長編み2目、鎖編み1目、長編み2目をくり返します。

JIS記号

細編み2目一度

1 鎖目に針を入れ、糸をかけて引き出し、次の鎖目も矢印のように針を入れて糸をかけて引き出します。

2 針に糸をかけ、矢印のように三つの輪を一度に引き抜きます。

JIS記号

細編み3目一度

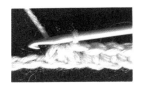

1 鎖目に針を入れ、糸をかけて引き出す操作を矢印の目にもくり返します。

2 矢印に針を入れて糸を引き出すと未完成の細編みが三つ針にかかります。

角の減らし目

2目一度の減らし目

細編み

3目一度の減らし目

細編み

①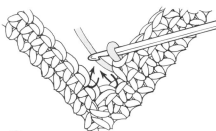

①

②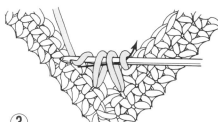

②

③

③

3 細編み2目一度の完成で1目減らされたことになります。

3 針に糸をかけて、矢印のように四つの輪を引き抜きます。

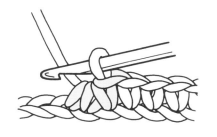

4 細編み3目一度の完成で2目減らされたことになります。

中長編み2目一度
ちゅう なが あ ふた め いち ど

1 鎖目に未完成の中長編みを1目編み、次の目も矢印に針を入れて同じように未完成の中長編みを編みます。

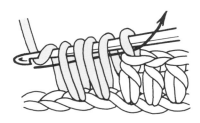

2 針に糸をかけ、矢印のように一度に引き抜きます。

鎖1目編む

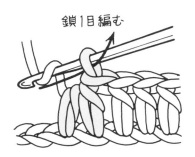

3 中長編み2目一度が完成して、1目減らされたことになります。

鎖1目

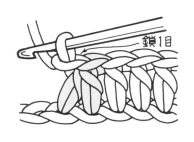

4 鎖1目を編みます。目の数を減らしたくないときは鎖編みや増し目の技法で調整します。

JIS記号

中長編み３目一度

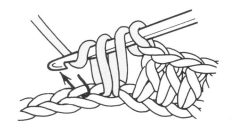

1 鎖目に未完成の中長編みを１目編み、矢印に針を入れて同じように未完成の中長編みを編みます。

2 矢印に未完成の中長編みをすると未完成の中長編みが３目になります。

一気に引き抜いて、目を減らすよ

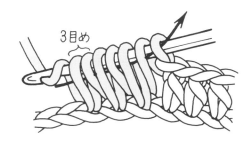

3 針に糸をかけて矢印のように一度に引き抜きます。

4 中長編み３目一度が完成し、２目減らされたことになります。

長編み2目一度

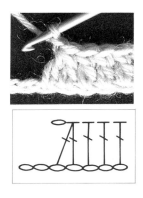

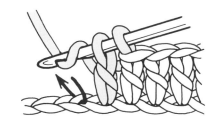

1 鎖目に未完成の長編みを1目編みます。続けて矢印の鎖目も未完成の長編みを編みます。

2 針に糸をかけ、矢印のように三つの輪を一度に引き抜きます。

3 長編み2目一度が完成し、1目減らされたことになります。

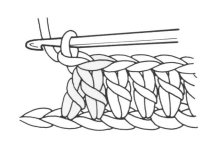

4 鎖1目を編みます。目の数を減らしたくないときは、鎖編みや増し目の技法で調整します。

長編み３目一度

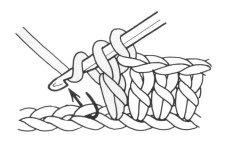

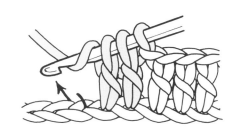

1 鎖目に未完成の長編みを１目編み、矢印の鎖目も同じように未完成の長編みを編みます。

2 矢印の鎖目に未完成の長編みを編み、未完成の長編みが３目できます。

3 針に糸をかけ、矢印のように四つの輪を一度に引き抜きます。

4 長編み３目一度の完成で、２目減らされたことになります。

長編み4目一度

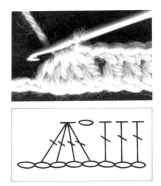

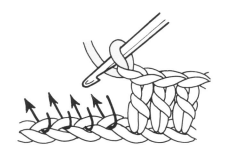

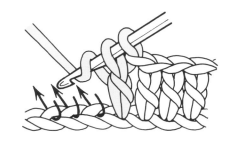

1 鎖目を1目編み、針に糸をかけて最初の矢印に針を入れて未完成の長編みにします。

2 残りの矢印もそれぞれ未完成の長編みにします。未完成の長編みの輪が四つ針にかかります。

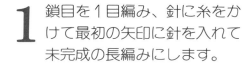

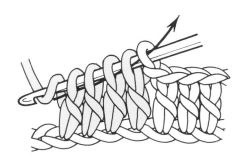

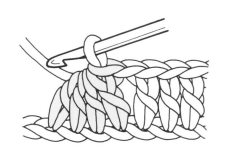

3 針に糸をかけて、矢印のように針にかかっている五つの輪を一度に引き抜きます。

4 四つの未完成の長編みを一度に引き抜いて、3目減らされたことになります。

細編み表引き上げ編み目

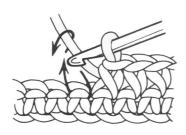

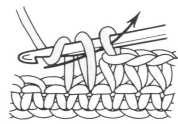

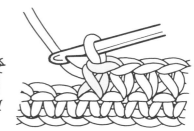

1 矢印のように細編みの横から針を入れ、さらに矢印のように針に糸をかけて引き出します。

2 針に糸をかけて、矢印のように引き抜きます。

3 1・2の操作をくり返して編み進みます。

細編み裏引き上げ編み目

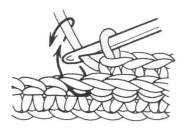

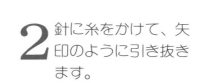

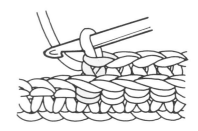

1 矢印のように細編みの向こう側から横に針を入れ、さらに矢印のように針に糸をかけて引き出します。

2 針に糸をかけて、矢印のように引き抜きます。

3 1・2の操作をくり返して編み進みます。

中長編み表引き上げ編み目

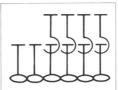

下の段の目の間を
くぐらすように、
糸を引き出してね

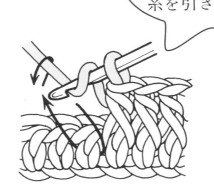

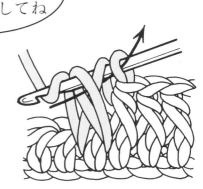

1 針に糸をかけ、矢印のように
中長編みの横から針を入れ、
糸をかけて引き出します。

2 針に糸をかけて、矢印のよう
に引き抜きます。

中長編み裏引き上げ編み目

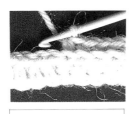

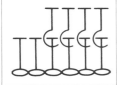

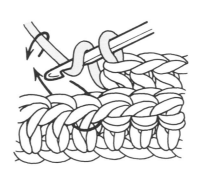

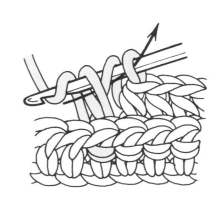

1 針に糸をかけ、矢印のように
中長編みの向こう側から横に
針を入れて、糸をかけて引き
出します。

2 針に糸をかけて、矢印のよう
に糸を引き抜きます。

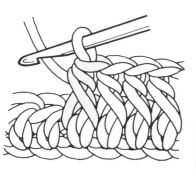

3 中長編みの表引き上げ
編み目の完成です。

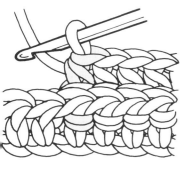

3 中長編み裏引き上げ編
み目の完成です。

引き上げ編みを記号どおりに編むテクニック

編み地を記号図で表す場合は、表から見た編み目の状態の記号で表現することになっています。写真①表引き上げ編みの編み地を記号で表すと記号①のようになります。但し記号①を見て記号どおりに編むと写真②のように表引き上げ編みと裏引き上げ編みの横縞になってしまいます。また写真③の表2目と裏2目の縦縞の編み地は記号で表すと記号⑩のようになります。但し記号⑩をみて記号どおりに編むと写真④のように市松模様になってしまいます。そこで写真①・③と同じ編み地に編み上げるには➡矢印の段は書かれている記号と逆の操作で編みます。つまり、表引き上げ目の記号は裏引き上げの操作に、裏引き上げ目の記号は表引き上げの操作で編みます。引き上げ編みを編むときは記号図と編み地の写真をよく見比べて正しい編み地を編むようにします。

表引き上げ編み地

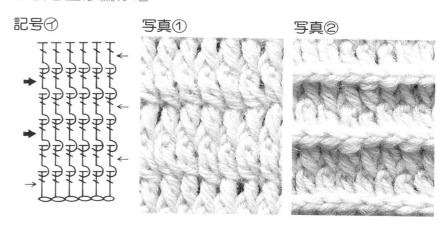

記号①　　　写真①　　　写真②

表と裏の引き上げ編み地

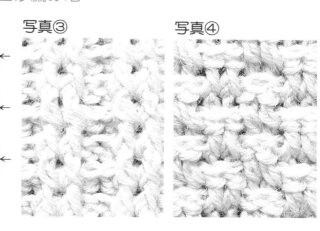

記号⑩　　　写真③　　　写真④

JIS記号

長編み表引き上げ編み目

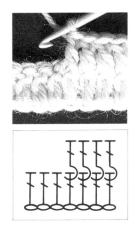

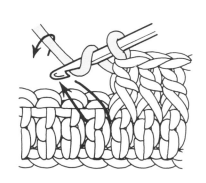

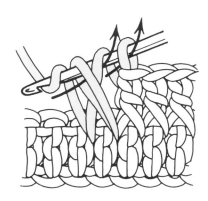

1 針に糸をかけ、長編みの横から針を入れて、針に糸をかけて引き出します。

2 針に糸をかけ、矢印のように輪を二つずつ2回引き出します。

JIS記号

長編み裏引き上げ編み目

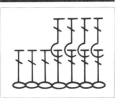

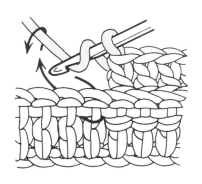

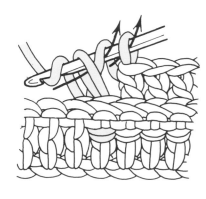

1 針に糸をかけ、長編みの向こう側から矢印のように横に針を入れて針に糸をかけて引き出します。

2 針に糸をかけ、矢印のように輪を二つずつ2回引き出します。

前々段の長編み表引き上げ編み目

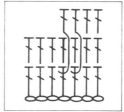

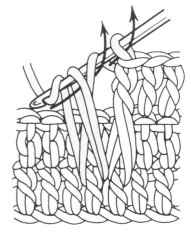

針に糸をかけ、前々段の長編みに
横から針を入れて、針に糸をかけ
て長く引き出し、さらに針に糸を
かけて矢印のように輪を二つずつ
2回引き出します。

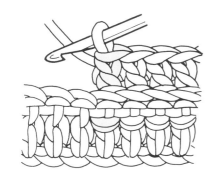

3 長編み表引き上げ編み目の
完成です。

前々段の長編み裏引き上げ編み目

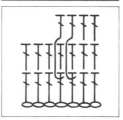

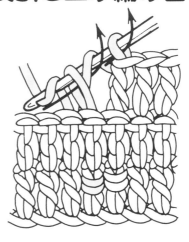

針に糸をかけ、前々段の長編みの
向こう側から横に針を入れて、針
に糸をかけて長く引き出し、さら
に針に糸をかけて矢印のように輪
を二つずつ2回引き出します。

3 長編み裏引き上げ編み目の
完成です。

長編みクロス編み目

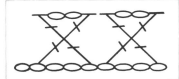

1 針に糸を2回巻き、鎖目に針を入れて針に糸をかけて引き出し、さらに糸をかけて矢印のように二つの輪だけ引き出します。

2 針に糸をかけて、3目めの鎖目に矢印のように針を入れ、糸をかけて引き出します。

3 さらに針に糸をかけて、矢印のように針にかかっている輪を二つずつ4回引き出します。

4 鎖2目編み、針に糸をかけて、矢印のように針を入れて糸をかけて引き出します。

5 針にかかっている輪を矢印のように二つずつ2回引き抜きます。

長々編みクロス編み目

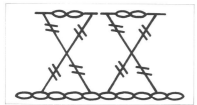

1 針に糸を4回巻き、鎖目に針を入れて糸をかけて引き出し、さらに糸をかけて、矢印のように輪を二つずつ2回引き抜きます。

2 針に糸を2回巻き、3目めの鎖目に針を入れて糸を引き出し、さらに糸をかけて矢印のように輪を二つずつ6回引き抜きます。

3 鎖2目編み、針に糸を2回巻いて矢印のように針を入れます。

4 針に糸をかけて輪を二つずつ4回引き抜きます。

5 クロスしたそれぞれの長々編みの高さがそろうように編みます。

Y字編み目（長編みの場合）

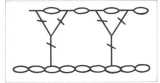

1 針に糸を２回巻き、４目めの鎖目に針を入れて長々編みを編みます。

2 鎖を１目編み、針に糸をかけて、長々編み目の矢印に針を入れ、糸をかけて引き出します。

3 針に糸をかけて、矢印のように長編みを編みます。

4 Ｙ字編み目の完成です。Ｙ字編みは完成すると目が増えますので前段の目をとばして目の数を調整します。

逆Y字編み目（長編みの場合）

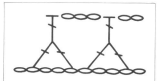

1 針に糸を2回巻き、鎖目に針を入れて糸を引き出し、さらに、糸をかけて針にかかっている輪を二つ抜きます。もう一度針に糸を巻き矢印に針を入れて、針に糸をかけて引き出します。

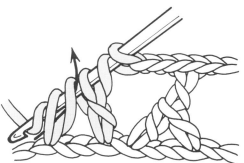

2 針に糸をかけて、針にかかっている輪を矢印のように二つ抜きます。

3 針に糸をかけて、矢印のように未完成の長編みを2目引き抜きます。

4 針に糸をかけて、針に残っている輪を二つずつ引き抜きます。

JIS記号

細編みリング編み目

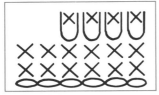

中指でリングを作る

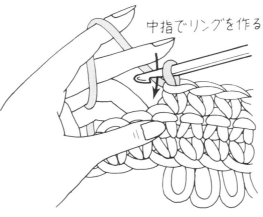

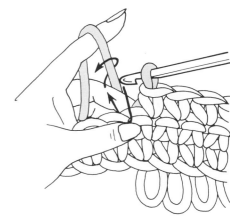

1 左手の中指で編み糸をリングの長さに下げて押さえます。

2 矢印のように針を入れて、リングになる糸を押さえたままで糸を引き出します。

3が終わるまで糸は指にかけたままよ

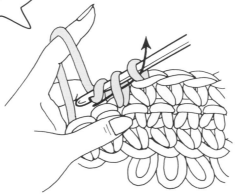

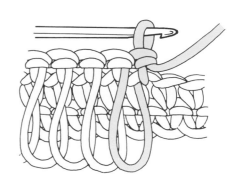

3 針に糸をかけて矢印のように二つの輪を引き抜きます。リングが編み目の向こう側に出き、細編みリング編み目の完成です。

4 リング細編み地の表側。

長編みリング編み目

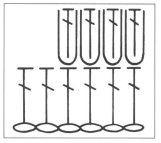

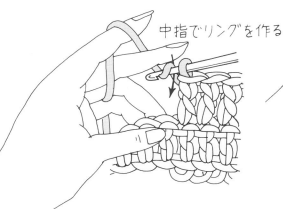

中指でリングを作る

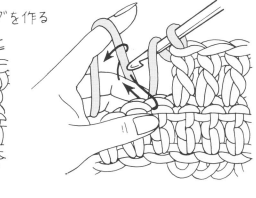

1 針に糸をかけて、左手の中指で編み糸をリングの長さに下げて押さえます。

2 矢印のように針を入れて、リングになる糸を押さえたままで糸を引き出します。

リングの長さが揃うように注意しましょうね

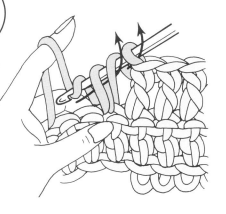

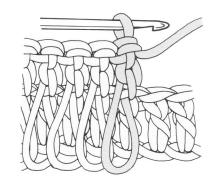

3 針に糸をかけて矢印のように二つの輪を引き抜き、さらに糸をかけて二つの輪を引き抜きます。リングが編み目の向こう側に出た、長編みリング編み目の完成です。

4 リング長編み地の表側。

ピコット編み（鎖編み3目の場合）

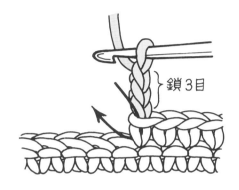

鎖3目

1 細編みに鎖編みを3目編み続けて、矢印のように細編みを割って針を入れます。

2 針に糸をかけて、矢印のように引き抜きます。
ピコット編みの完成です。

ポコッと出たのがピコット部分よ

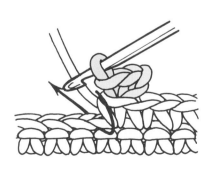

3 ピコットを編みつけた細編みの左側の前段の鎖目に、矢印のように針を入れて細編みを編みます。

4 細編みを2目編んでは1・2の要領でピコットを編みつけます。

変わりピコット編み（鎖編み3目の場合）

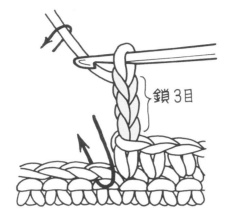

鎖3目

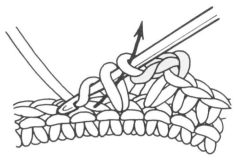

1 細編みに鎖編みを3目編み続けて、矢印のように前段の鎖目に針を入れ、針に糸をかけて引き出します。

2 針に糸をかけて矢印のように引き抜いて細編みを編みます。

となりのピコットに比べると、なだらかな感じね

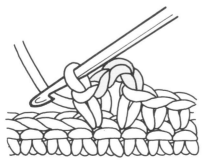

3 鎖編み3目の変わりピコット編みが完成したところです。

4 細編みを4目編んで1・2をくり返します。

七宝編み

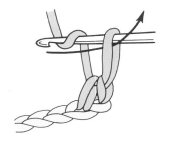

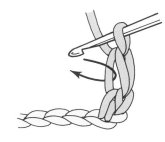

1 作り目の鎖を編んで、細編みを1目編み、針にかかっている輪を引き伸ばして針に糸をかけます。

2 鎖編みの裏側に矢印のように針を入れ、針に糸をかけて引き出します。

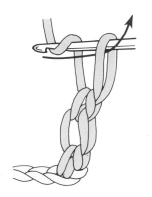

4 1の鎖編みと長さをそろえて針にかかっている輪を引き伸ばし、針に糸をかけて矢印のように引き出します。

5 2・3と同じ要領で細編みを編み、作り目の鎖を3目とばして4目めの矢印に針を入れて、針に糸をかけて引き出します。

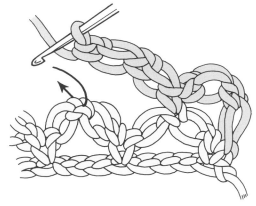

7 2段めはゆるい鎖編み1目で立ち上がり、2・3・4・5の要領で細編みとゆるい鎖編みを編み、前段の鎖編みと鎖編みの間の細編みに細編みで止めて編み進みます。

8 編み終わりは、ゆるい鎖編みから編み出す細編みは未完成で、針に糸をかけて前段の細編みに針を入れて糸を引き出し、さらに糸をかけて矢印の操作をします。

3 もう一度針に糸をかけ、二つの輪を引き抜きます。細編みが編めます。

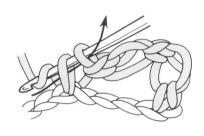

6 針に糸をかけて二つの輪を引き抜くと、細編みが編めます。1段めからは1から6をくり返します。

9 長編みと細編みの完成で、2段めが編み終わりました。

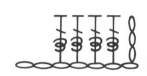

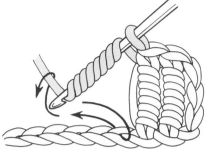

1 針に編み糸を8回巻き、矢印に針を入れて矢印のように糸をかけて引き出します。

かぎ針に巻きつけた目を落とさないように注意よ

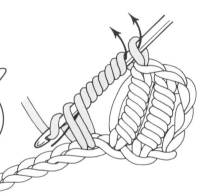

2 針に糸をかけて引き出した輪と針に巻いた糸を一度に引き抜き、もう一度針に糸をかけて二つの輪を引き抜きます。

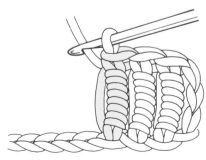

3 長編みのロール編み目の完成です。編み糸を針に巻く回数で編み目の長さが好みに調節できます。

方眼編み

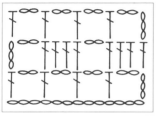

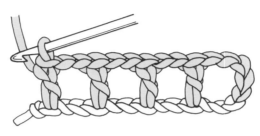

1 1段めは、作り目をして鎖3目で立ち上がり、作り目の鎖2目おきに鎖2目、長編み1目をくり返して編み進みます。

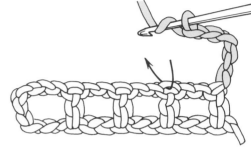

2 立ち上がりの鎖3目と間の鎖2目を編み、針に糸をかけて矢印（前段の長編みの鎖）に針を入れ、柱の長編みを編みます。

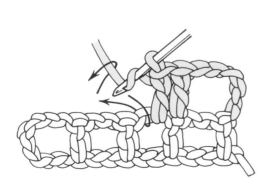

3 前段のます目の鎖をそっくりすくって長編みを2目編み入れます。

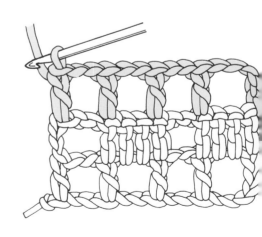

4 柱の長編みは常に前段の長編みの鎖をすくって編みます。

ネット編み（波編み）

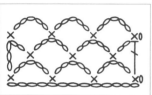

1 １段めは、立ち上がりの鎖を編んで細編みを１目編み、作り目の鎖３目おきに鎖５目、細編み１目を編みつけます。

2 ２段めは、立ち上がりの鎖３目、さらに鎖２目編み、前段の鎖をそっくり矢印のように拾い、針に編み糸をかけて引き抜きます。

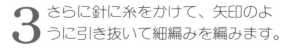

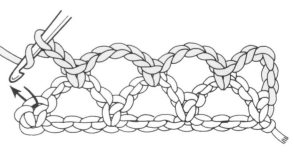

3 さらに針に糸をかけて、矢印のように引き抜いて細編みを編みます。

4 鎖５目、細編み１目のネット編みをくり返して編み、編み終わりのネットは鎖２目、長編み１目を編み、半模様のネットを編みます。

両面編みと片面編み

両面編み

編み地を1段ずつ回しながら編む方法で、1枚の平面状の編み地と筒状の編み地があります。編み目記号に書かれる編み進む方向を示す矢印は、1段ずつ左右につけられています。

平面状の両面編み

細編み

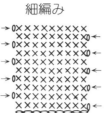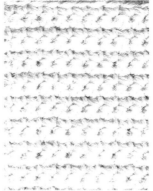

長編み

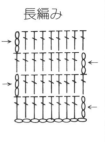

筒状の両面編み

細編み

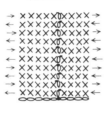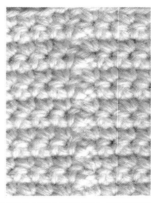

長編み

片面編み

編み地を回さずに毎段同じ方向に編む方法で、平面状の編み地や、円状、筒状の編み地があり、平面状に編む場合は1段ずつ糸を切るようになります。編み目記号に書かれる編み進む方向を示す矢印は、毎段右側につけられています。

平面状の片面編み

細編み

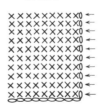

長編み

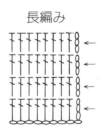

円状の片面編み

細編み

長編み

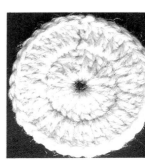

編み地の表と裏

編み地には表と裏がはっきりと変わるものと同じになるものがあります。普通は1段めの編み目が表になっているほうを表にしますが、模様編みなど編み方によっては1段めを裏にするほうがよい場合もあります。編み目を記号図であらわすときは編み地を表から見た状態で書かれます。1段めが表になる場合は編み進む方向を示す矢印が右側に、また1段めが裏になる場合は編み進む方向を示す矢印が左側についています。

細編み目の表目と裏目

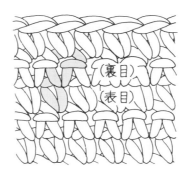

（裏目）
（表目）

長編み目の表目と裏目

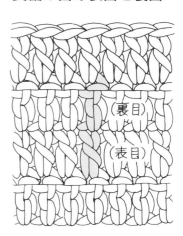

（裏目）
（表目）

1段めが表になった記号と編み地

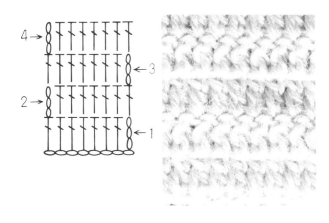

1段めが裏になった記号と編み地

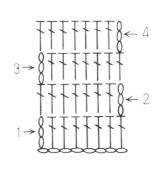

目の数え方

編み地を作るためには、目や段の数を数えなければなりません。目や段を正確に数えるために編み目の状態を正しく覚えましょう。細編み以外の立ち上がりの鎖編みは、それぞれ1目と数えます。また編んでいるときにかぎ針にかかっているループは目としては数に入れません。

鎖編み目の数え方

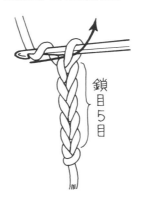

鎖目5目

長編み目の数え方

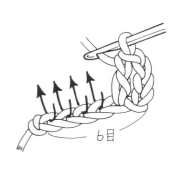

6目

59

立ち上がり目について

各編み目と立ち上がり目に必要な鎖編みの数

立ち上がり目とは、段の始めでその段の編み目の高さと同じ寸法に編む鎖編み目のことをいいます。

下図は、それぞれの編み目の高さに適した鎖編みの目数を表したものです。

また、普通には立ち上がり目を段の最初の1目として数えますが、細編みの立ち上がり目だけは、特別なとき以外は1目として数えません。

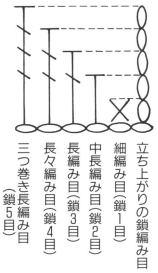

三つ巻き長編み目（鎖5目）
長々編み目（鎖4目）
長編み目（鎖3目）
中長編み目（鎖2目）
細編み目（鎖1目）
立ち上がりの鎖編み目

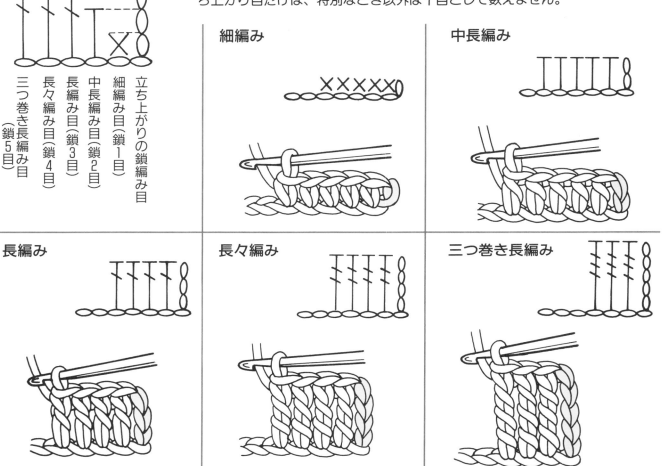

細編み

中長編み

長編み

長々編み

三つ巻き長編み

1段めと2段めの立ち上がり

細編み（5目）

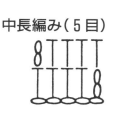

中長編み（5目）

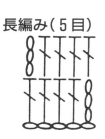

長編み（5目）

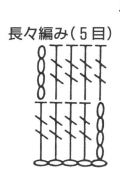

長々編み（5目）

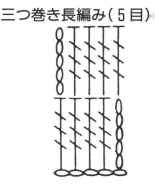

三つ巻き長編み（5目）

次の段に移るときと編み地の回し方

両面編みの場合　かぎ針編みの操作は、ほとんど右端から左に向かって編み、左端にきたら編み地を回して、いま見ながら編んでいた面の裏側を見て次の段を編みます。
回し方は右端を手前（内側）に回す方法と向こう側（外側）に回す方法があります。手前に回すと立ち上がりの鎖編みの表（チェーン状に見える側）が手前に向きます。向こうに回すと立ち上がりの鎖編みの表が向こう側に向きます。

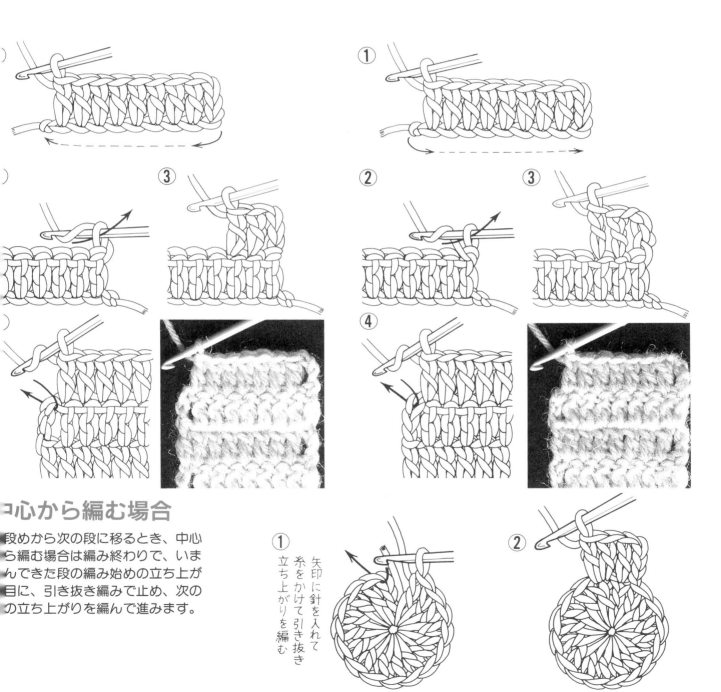

心から編む場合

段めから次の段に移るとき、中心ら編む場合は編み終わりで、いまんできた段の編み始めの立ち上が目に、引き抜き編みで止め、次のの立ち上がりを編んで進みます。

① 矢印に針を入れて糸をかけて引き抜き立ち上がりを編む

②

目の作り方と1段めの拾い方

編み始めの目の作り方

作品の1段めを編むために必要な鎖編みや糸の輪などを作り目といいます。一の端から編み始める両面編みの場合と、中心から放射状に編み始めるために輪を作る場合の、二つの方法があります。

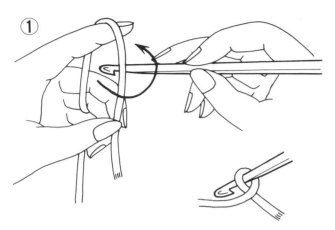

① 糸の向こう側から針を当てて、矢印のように針を回して輪を作ります。

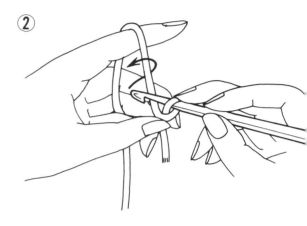

② 輪の根もとを親指と中指で押さえて、針を動かして矢印のように糸をかけます。

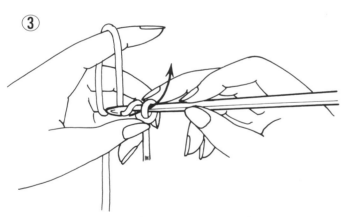

③ 針にかけた糸を矢印のように引き出します。

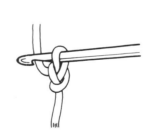

④ 糸端を引いて編み始めの輪を引きしめます。

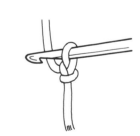

⑤ 針に糸をかけて編み始めます。

両面編みの作り目

上図の②〜③の操作をくり返すと鎖編みが編めていきます。
記号図にしたがって鎖編みを指定の数だけ編みます。特に両面編みの場合は、作り目に1段めを編みつけるので、作り目がきついと編み地がつれてしまいますから注意しましょう。

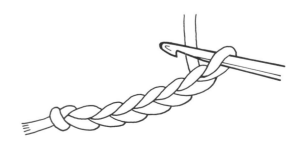

筒状（輪）に編む作り目

必要な寸法に応じた鎖編みを編みます。鎖編みがねじれないように注意して①図のように編み始めの鎖編みに引き抜いて輪にし、その目から記号図にしたがって1段めを編みます。

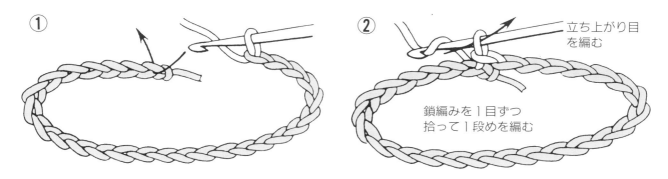

① ② 立ち上がり目を編む

鎖編みを1目ずつ拾って1段めを編む

鎖編みの作り目のときの1段めの拾い方

鎖編みの作り目から目を拾って1段めを編む場合に、A、B、Cの三種類の技法があります。それぞれ作品の特徴を生かした使い方をしましょう。

A 鎖編みの向こう側の糸を1本すくう方法

一般的な拾い方で拾う糸がわかりやすく、伸縮性があります。細編みや長編みなど、作り目をとばさないで全目を拾う編み地のときに適しています。

細編み

長編み

B 鎖編みの裏側の糸をすくう方法

あとから1段めと逆方向に縁編みなどの拾い目をしないときに使うと、作り目の鎖目が並んで、きれいな端に編み上がります。

細編み

長編み

C 鎖編みの向こう側の糸と裏側の糸をすくう方法

模様編みで、松編みや玉編みのように1目の鎖編みに2目以上の目を編み入れるときや、方眼編み、ネット編み、シェル編みのように作り目の鎖をとばして拾う編み地に適しています。

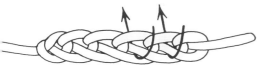

方眼編み

ネット編み

輪の作り目と１段めの拾い方　　鎖編みで輪を作るＡの方法と、糸の輪で作るＢの方法があります。

Ａの方法…記号図にしたがって鎖編みを編んで輪を作り、その輪を作り目として１段めを編み入れますが、
　　　　　③図で１段めの編み目に適した立ち上がりの目数の鎖編みを編みます。

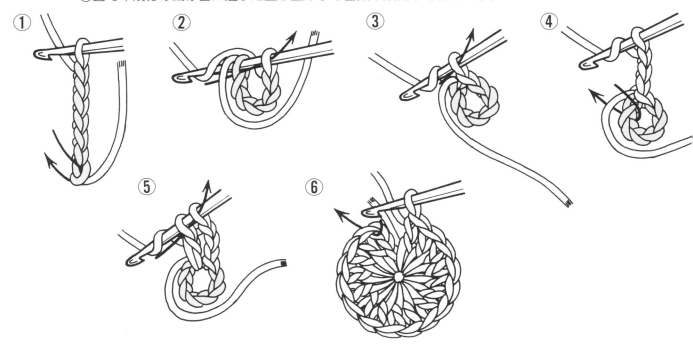

Ｂの方法…糸の輪を作り、その輪を作り目として１段めを編み入れますが、④図で１段めの編み目に適した
　　　　　立ち上がりの目数の鎖編みを編みます。

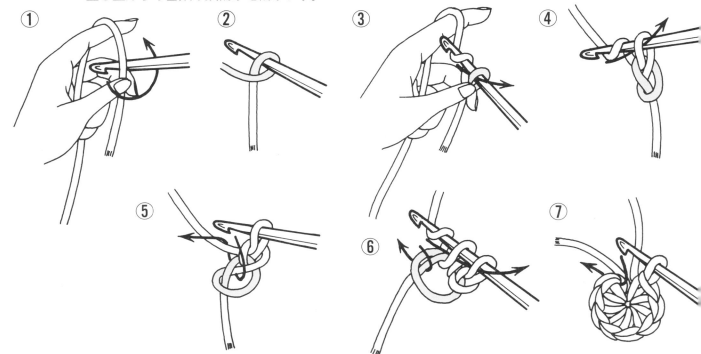

前段からの基本的な拾い目

かぎ針編みの2段めからは、特に指示のない限り前段の目の鎖目状のところを拾って編みます。但しこの鎖は目の表から見ると目の右側に、裏から見ると左側になります。中長編み、玉編み、パプコーン編みなどからの拾い目は注意して編みます。

細編み目の裏側から拾う

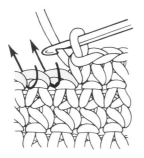

細編み目の表側から拾う

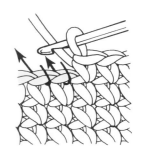

中長編み目の裏側から拾う

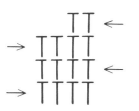

中長編み目の表側から拾う

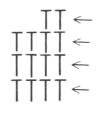

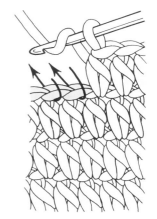

長編み目の裏側から拾う

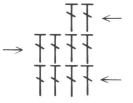

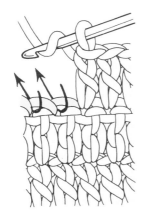

長編み目の表側から拾う

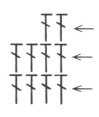

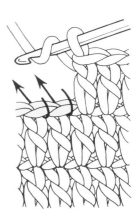

両面編み　　　　　　　　　　　　　　　　　片面編み

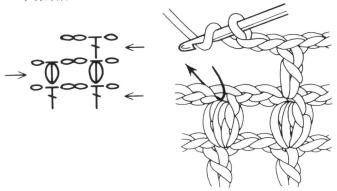 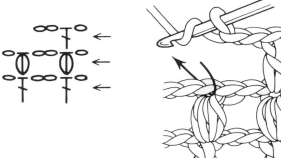

《鎖3目、玉編み、鎖3目のネット編みの拾い目》

両面編み　　　　　　　　　　　　　　　　　片面編み

 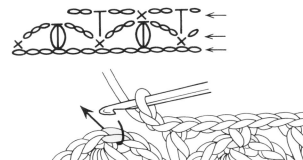

《鎖4目、玉編み、鎖2目のネット編みの拾い目》

両面編み　　　　　　　　　　　　　　　　　片面編み

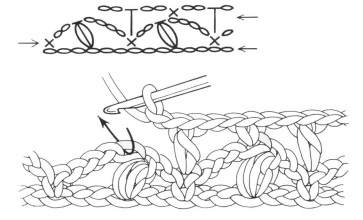  

長編みの玉編み目の裏側から拾う

両面編み

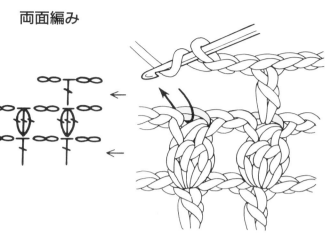

長編みの玉編み目の表側から拾う

片面編み

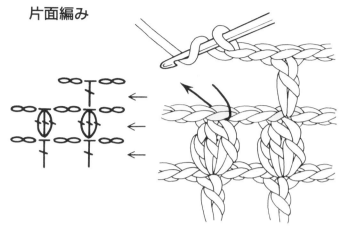

長編みの玉編み目の裏側から拾う

両面編み

長編みの玉編み目の表側から拾う

片面編み

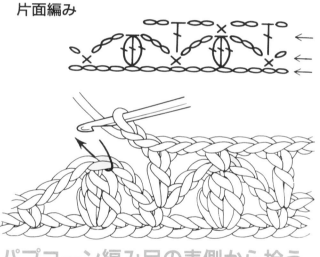

パプコーン編み目の裏側から拾う

両面編み

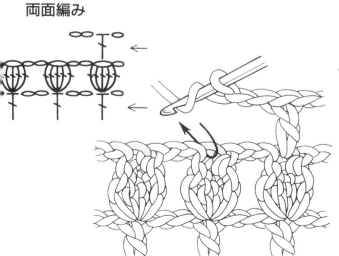

パプコーン編み目の表側から拾う

片面編み

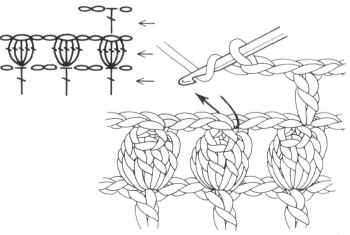

編み目の増し方

編み地を必要な幅に広げるときに操作するテクニックで、身頃の脇や袖下などに使います。方法は1カ所で1目、2目、3目以上とそれぞれのテクニックで目の数を多くします。増し目をする位置も段の編み始めや編み終わり、編み地の中間などがあり、広げる形に応じて使い分けるようにします。増していく編み目は、編んでいる編み地を生かしながらその編み地の基本になる細編み、中長編み、長編みなどにします。なお中長編みは長編みの方法に準じて増します。

1目の増し方　　1目に2目編み入れる

A右端（段の編み始め）

細編み

長編み

B中間（編み目と編み目の間）

細編み

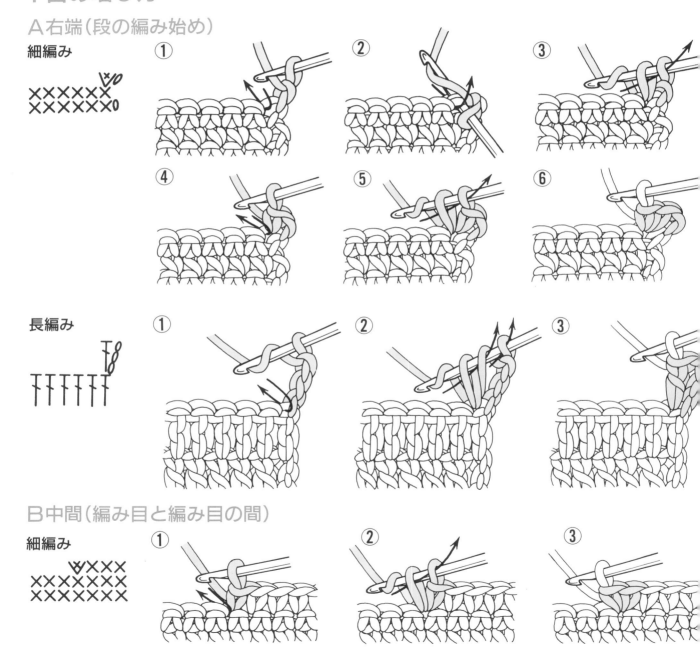

長編み

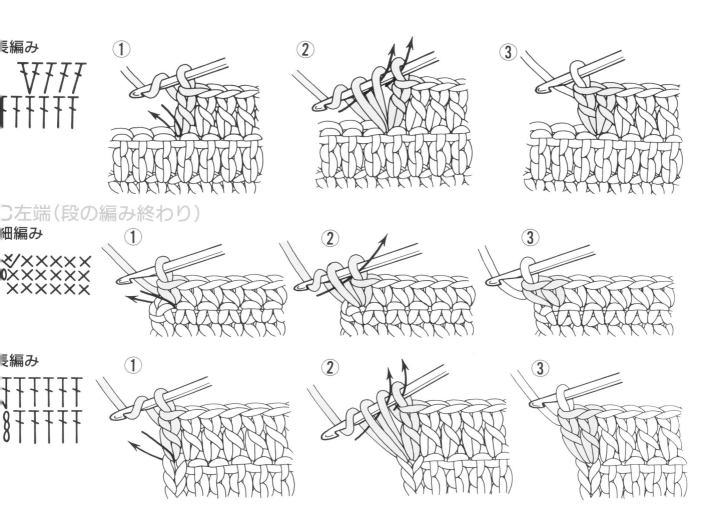

C左端（段の編み終わり）

細編み

長編み

目の増し方　1目に3目編み入れる

A右端（段の編み始め）

細編み

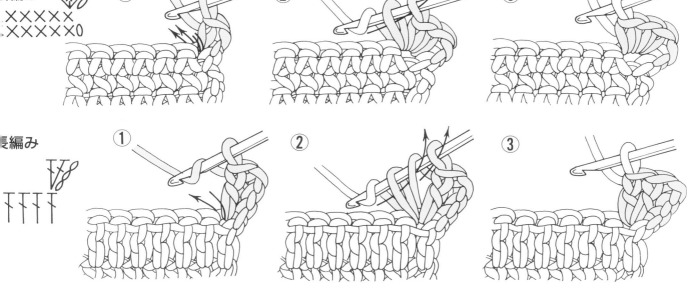

長編み

B中間（編み目と編み目の間）

細編み

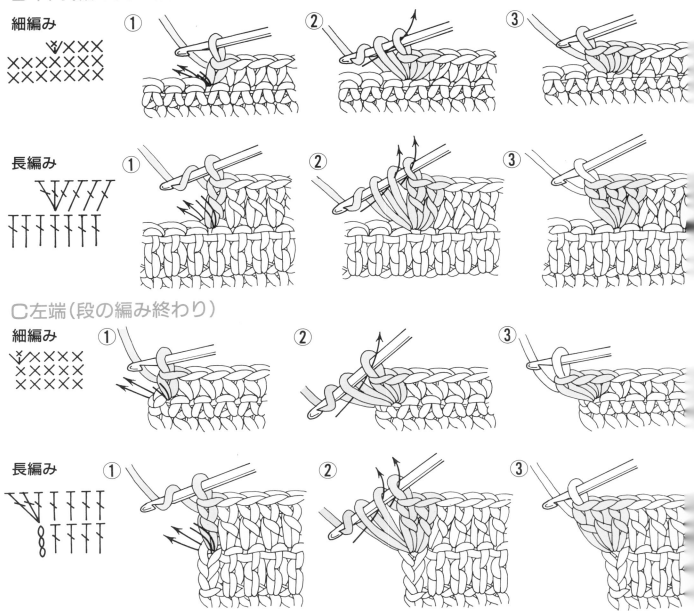

長編み

C左端（段の編み終わり）

細編み

長編み

3目以上の増し方

A右端（段の編み始め）鎖目を編み出す

細編み

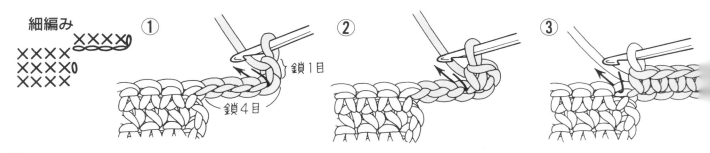

鎖1目

鎖4目

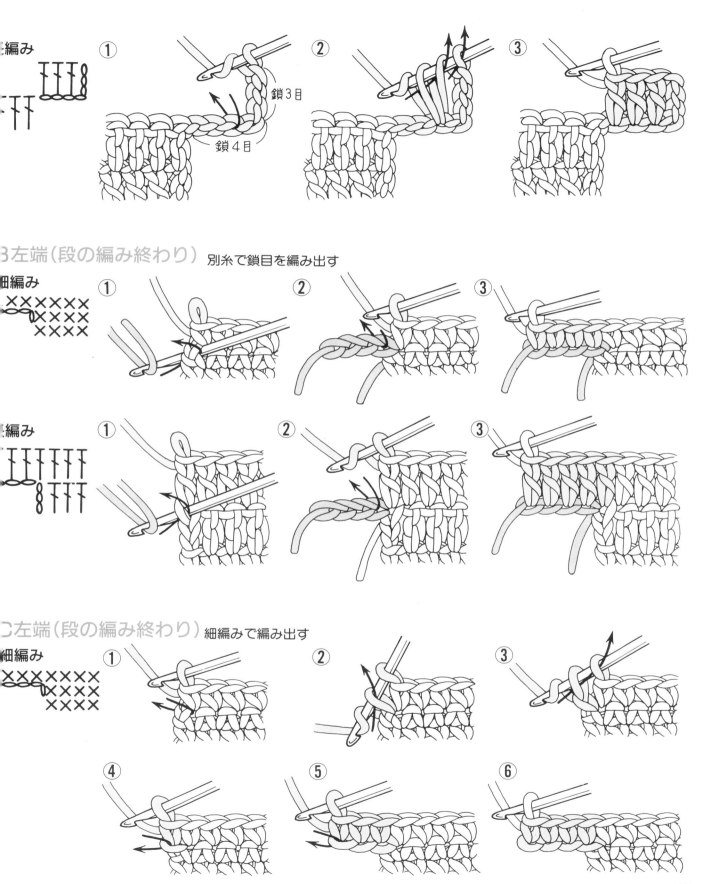

長編み

① 鎖3目 鎖4目

② ③

3左端（段の編み終わり） 別糸で鎖目を編み出す

細編み

① ② ③

長編み

① ② ③

C左端（段の編み終わり） 細編みで編み出す

細編み

① ② ③

④ ⑤ ⑥

長編み ① ② ③

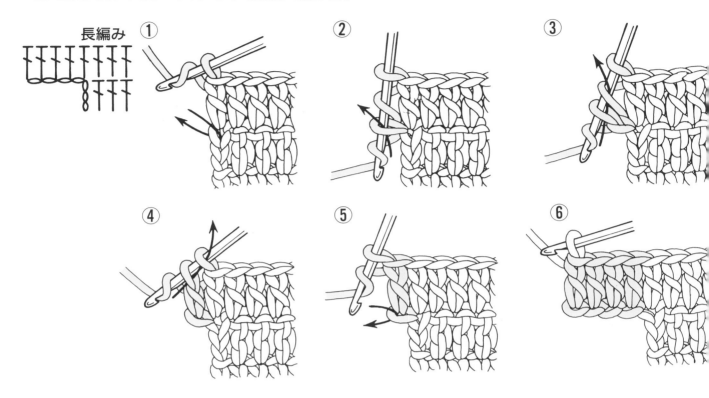

④ ⑤ ⑥

長編み ① ② ③

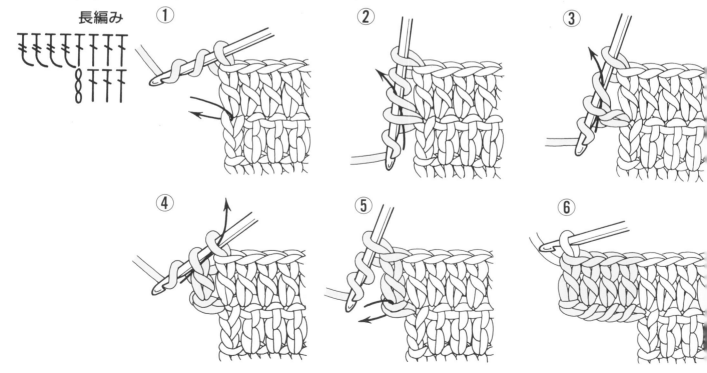

④ ⑤ ⑥

編み目の減らし方

編み地の幅をせまくするときに操作するテクニックで、袖ぐりや衿ぐり、袖山などに使います。方法は1カ所で1目、2目、3目以上とそれぞれのテクニックで目の数を少なくします。減らし目をする位置も段の編み始めや、編み終わり、編み地の中間などがあり、せまくする形に応じて使い分けます。減らしていく編み目は編んでいる編み地を生かしながら、基本になる細編み、中長編み、長編みなどでします。なお中長編みは長編みの方法に準じて減らします。

1目の減らし方　2目一度に編む

A右端（段の編み終わり）

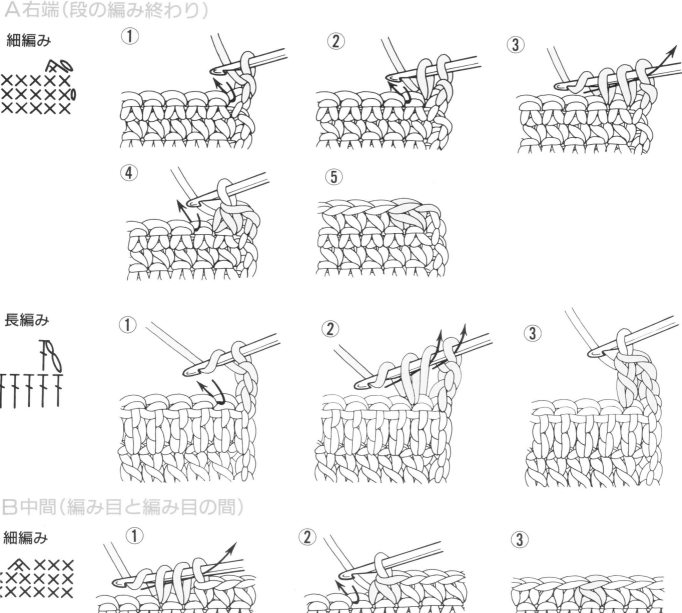

細編み

長編み

B中間（編み目と編み目の間）

細編み

長編み

 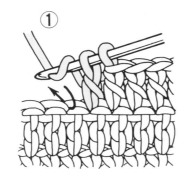 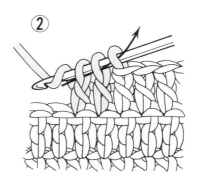 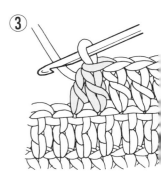

C左端（段の編み終わり）

細編み

 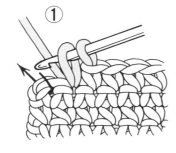 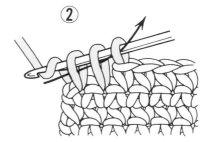 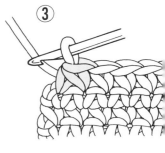

長編み

 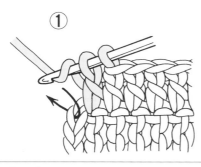 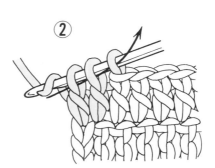 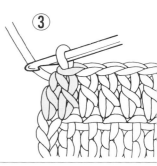

２目の減らし方　　３目一度に編む

A右端（段の編み始め）

細編み

 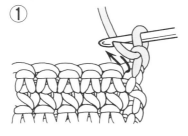 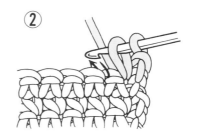 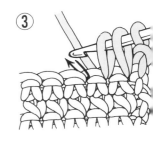

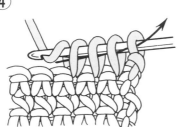 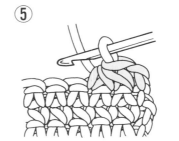 

編み

編み

① ② ③

編み

① ② ③

編み

① ② ③

編み

① ② ③

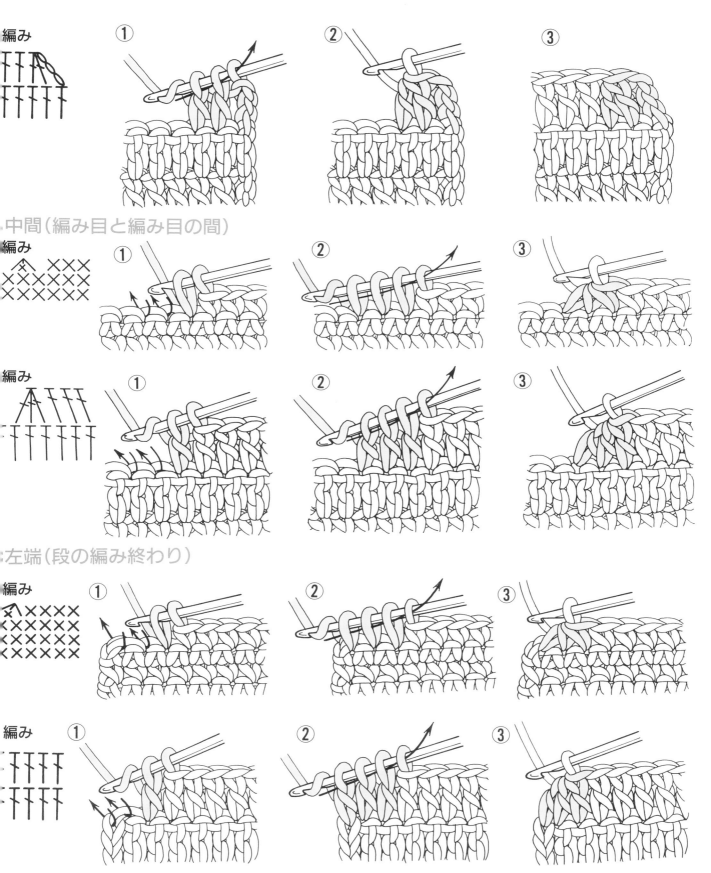

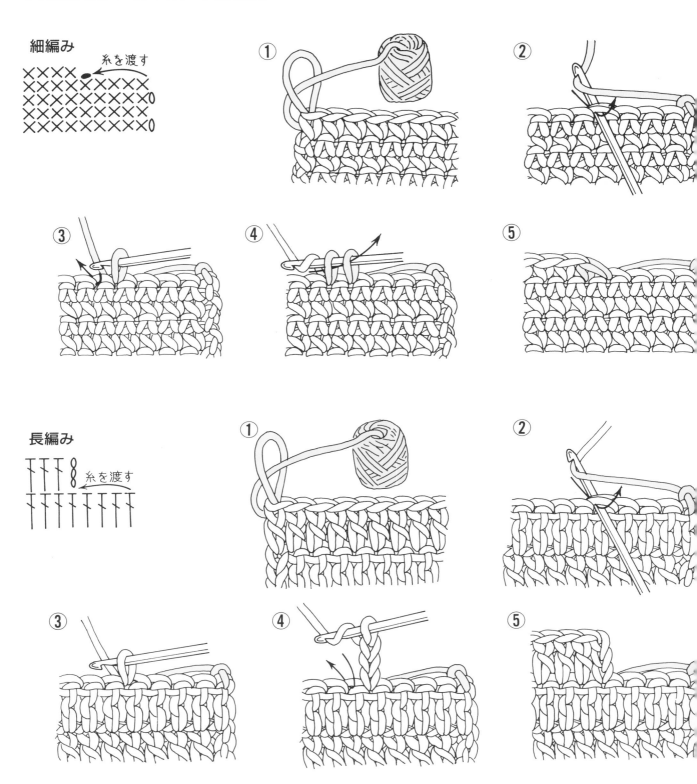

細編み
糸を渡す

長編み
糸を渡す

① ② ③ ④ ⑤

引き抜き編み

細編み

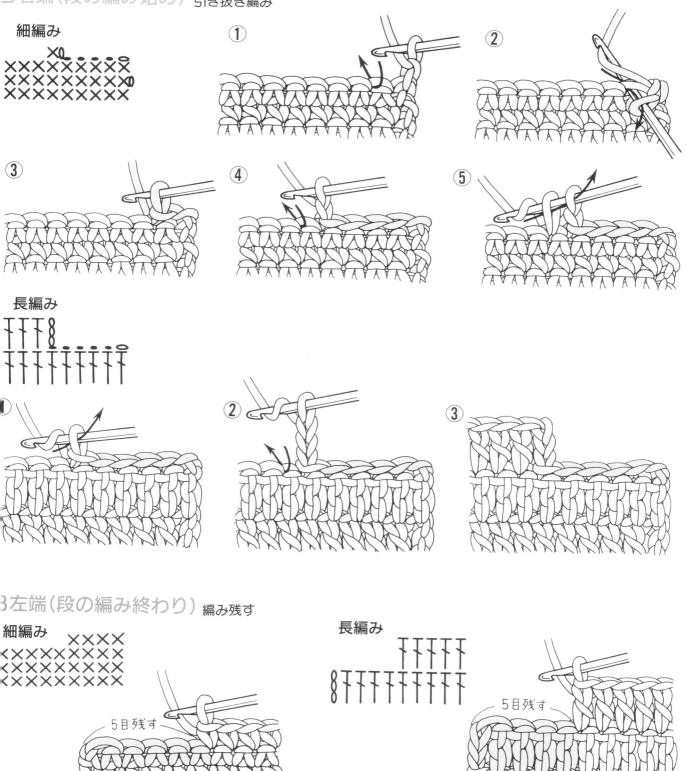

長編み

B左端（段の編み終わり） 編み残す

細編み

5目残す

長編み

5目残す

中長編みが斜めになるのを防ぐ工夫

中長編みは、上の鎖の部分が柱の部分より後ろにずれているので、前段の目に合わせて編むと編み地が斜めになりがちです。そこで編み方を工夫して編むと斜めになるのを防ぐことができます。斜めになった編み地で作品を編むと脇線や前端などが流れて見苦しくなります。

中長編みと細編みの記号と編み地

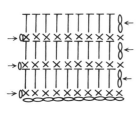
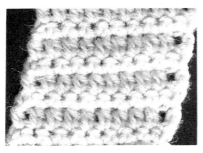

斜めになるのを防いだ中長編みと細編みの記号と編み

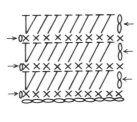
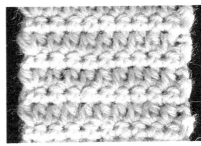

中長編みの片面編みの記号と編み地

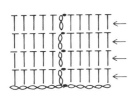

斜めになるのを防いだ中長編みの片面編みの記号と編み

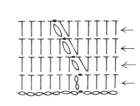
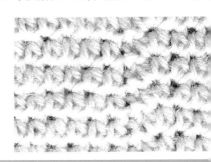

編み終わりと糸端の始末

編み終わりの始末

最終の目が編み終わったら、糸を10cmくらいに切り、最終の目を②のように伸ばし、ループに糸端を通して引き締めます。

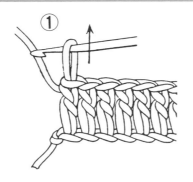
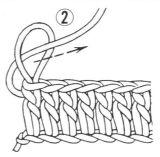
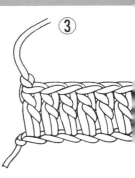

糸端の始末

糸端をとじ針に通して、編地の裏側の糸を表にひびかないようにすくってかがりつけます。

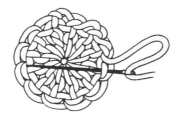

編み糸のつなぎ方

編んでいる途中で糸が足りなくなったときの糸のつなぎ方です。結び目がどこにきてもよい場合は結ぶ方法や編み目の間で編みつなぐ方法を、結び目が気になるときは編み地の端で編みつなぐ方法を使います。どの方法も糸端を編み地の裏側で表にひびかないように編み目の中にくぐらせておきます。

結ぶ方法

○○結び

一般的なひもの結び方です。

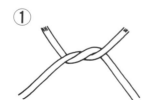
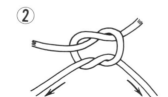
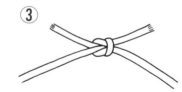

○た結び

結び目がきつく締まって解けにくい結び方です。

○重結び

○ス結びともいい、互いの結び目が引き締まり、決して解けないので、すべりやすい獣毛織○化学繊維の糸に最適です。

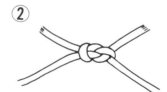

編み目の間で編みつなぐ方法

細編みの場合

○回めの糸を○き出すとき○、新しい糸○変えます。

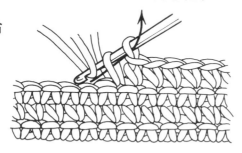

長編みの場合

最後の糸を引き出すときに新しい糸に変えます。

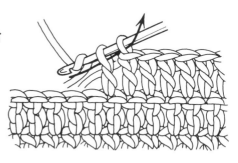

編み地の端で編みつなぐ方法

細編みの場合

○しい糸を矢○のように引○抜いて、立○上がりを編○ます。

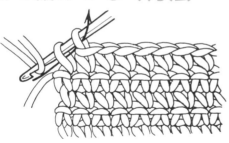

長編みの場合

新しい糸を矢印のように引き抜いて、立ち上がりを編みます。

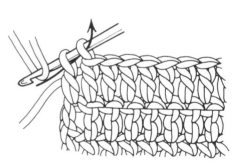

編み地のはぎ方

編み地の編み終わりと編み終わり、また、編み終わりと編み始め、稀には編み始めと編み始めなど、横に並んだ目と目をつなぎ合わせることを「編み地をはぐ」といい、前身頃と後身頃の肩をつなぎ合わせるときによく使うテクニックです。用具はとじ針やかぎ針を使い、編み地によっていろいろな方法があります。次に紹介した方法は一般的によく使われ、利用範囲の広いはぎ方です。

巻きはぎ…とじ針で編み目の上の鎖目を1本、または2本すくいます。
長編みのほかに細編み、中長編みなど幅広く応用できます。

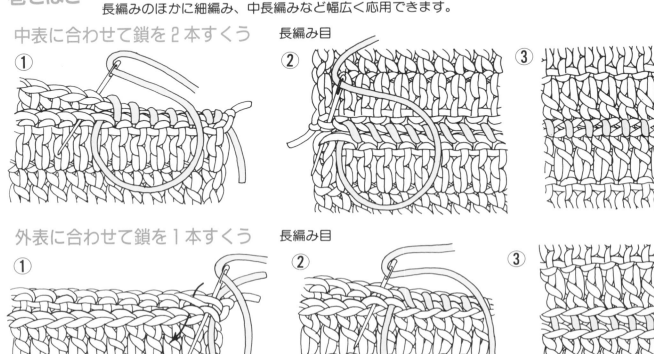

中表に合わせて鎖を2本すくう　　　長編み目

① ② ③

外表に合わせて鎖を1本すくう　　　長編み目

① ② ③

すくいはぎ…とじ針を使って編み目の上の鎖目の下、または鎖目を割ってすくいます。
長編みのほか細編み、中長編みにも応用できます。

表を見て鎖目の下を2本すくう　　　長編み目

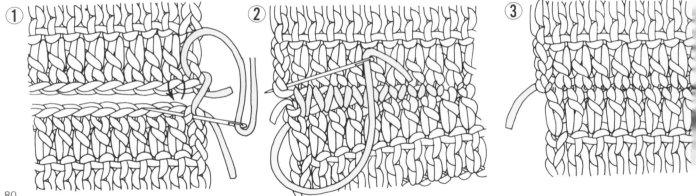

① ② ③

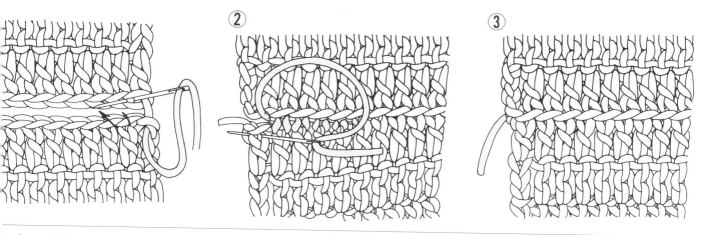

の字はぎ…編み地を突き合わせにしてとじ針を使い、手前から向こうへ、向こうから手前に鎖目を１本ずつすくいます。長編みのほか細編み、中長編みにも応用できます。

を見てすくう　　　長編み目

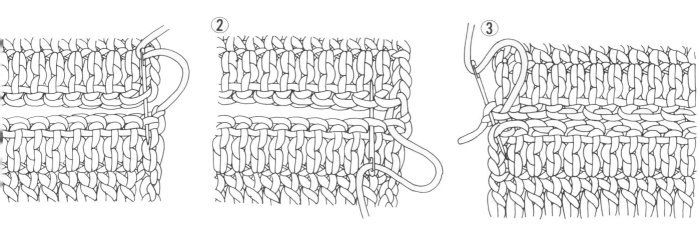

を見てすくう　　　長編み目

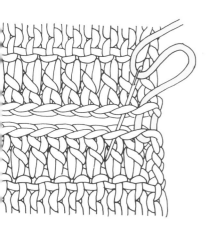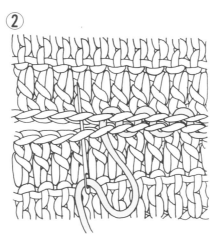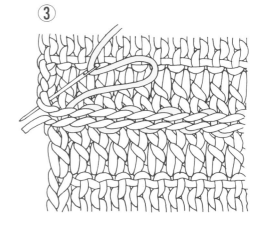

半返しはぎ …とじ針を使って編み目を割って針を入れ、半目ずつ返し縫いにします。細編みのほか長編みにも応用できます。

中表に合わせて縫う　　細編み目

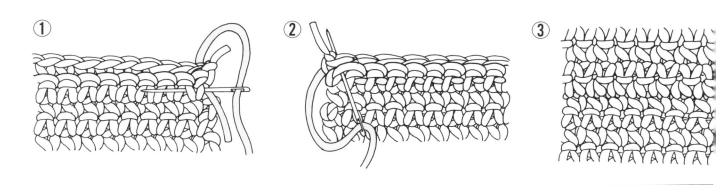

① ② ③

引き抜き編みはぎ …かぎ針を使って編み目の上の鎖目を1本または2本すくいます。長編みのほかに細編み、中長編みなどにも応用できます。

中表に合わせて鎖を2本すくう　　長編み目

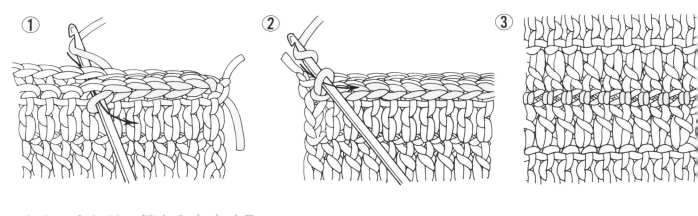

① ② ③

中表に合わせて鎖を1本すくう　　長編み目

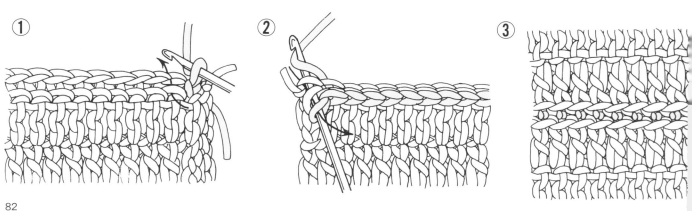

① ② ③

編みはぎ…かぎ針を使って編み目の上の鎖目を1本または2本すくいます。
長編みのほかに細編み・中長編みなどにも応用できます。

表に合わせて鎖を1本すくう　　　長編み目

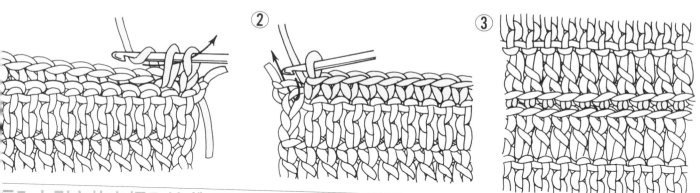

編みと引き抜き編みはぎ…かぎ針を使い、鎖編みをすくって引き抜き編みをします。
引き抜き編みと引き抜き編みの間はつれないように鎖編み
で調節します。透かし模様などにも応用できます。

表に合わせて鎖をそっくり拾う　　　ネット編み

表に合わせて鎖をすくう　　　ネット模様編み

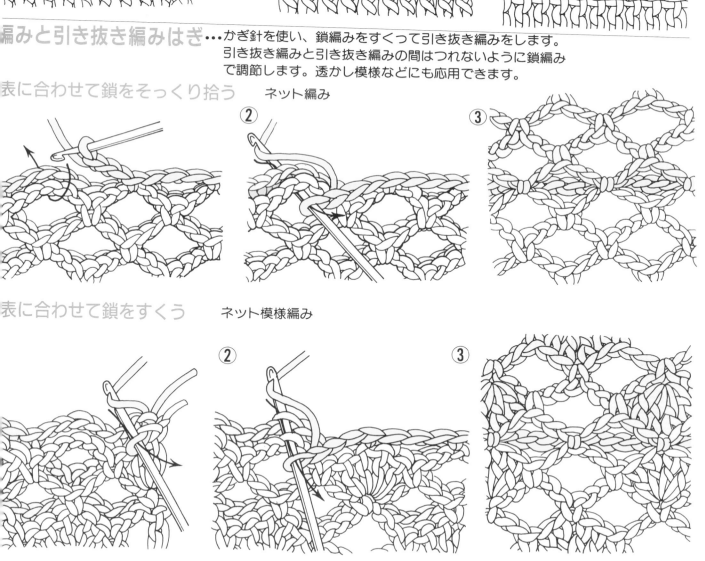

編み地のとじ方

編み地の左右で編み目が縦に並んだ段と段をつなぎ合わせることを「編み地をとじる」といい、前身頃と後身頃の脇や袖下などをつなぎ合わせるときによく使うテクニックです。用具はとじ針やかぎ針を使い、編み地によっていろいろな方法があります。次に紹介した方法は一般的によく使われ、利用範囲の広いとじ方です。

返し縫いとじ ·················とじ針を使い、端の目を割って半目内側を返し縫いにします。中長編みにも応用できます。

中表に合わせて1段ずつ返して縫う　細編み目

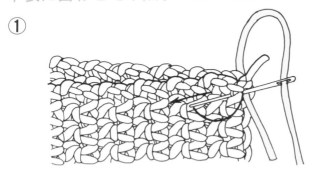

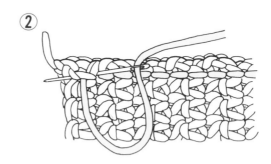

中表に合わせて1段ずつ返して縫う　長編み目

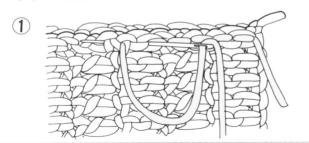

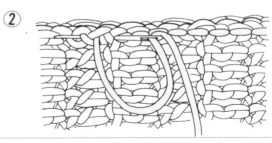

コの字とじ ·················編み地を突き合わせにして、とじ針を使い手前から向こうへ、向こうから手前に編み目の糸を1本ずつすくいます。長編みのほか細編み、中長編みにも応用できます。

裏を見てすくう　長編み目

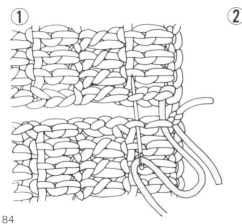

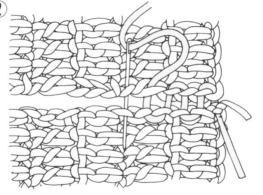

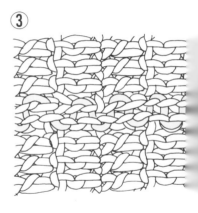

すくいとじ ……………………とじ針を使って、それぞれ段と段の境や目の裏側を交互にすくったり、同じところに2回針を入れて引き締めたりします。長編み、細編みのほか中長編みにも応用できます。

表を見てすくう　　長編み目

裏を見てすくう　　長編み目

表をみてすくう　　細編み目

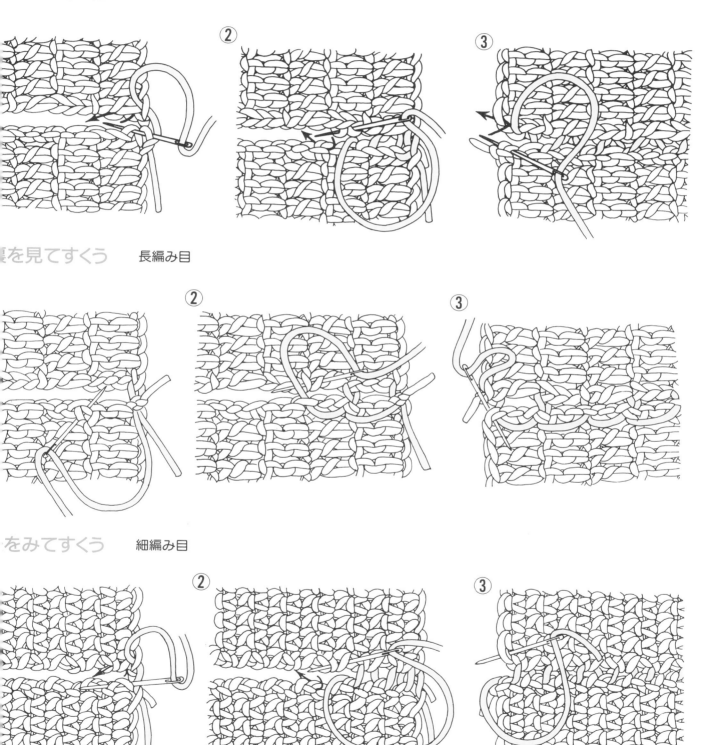

巻き結びとじ ....

とじ針を使って2枚の編み地の段の境をいっしょにすく
とじ糸を針に巻いて糸を引き締めるとじ方です。長編み
ほか中長編み、細編みにも応用できます。

中表に合わせてすくう　　長編み目

①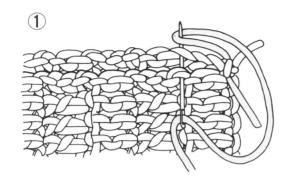

②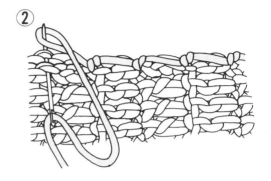

裏を見てすくう　　長編み目

①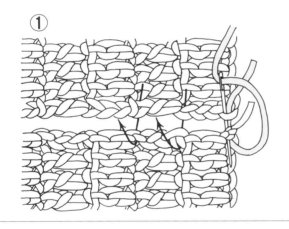

②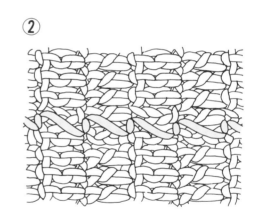

細編みとじ ....

かぎ針を使い2枚の編み地の1目内側をすくい、細編みをします
とじた細編みを飾りにするときは外表に合わせます。細編みのほ
中長編み、長編みにも応用できます。

中表に合わせてすくう　　細編み目

①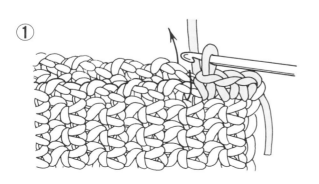

②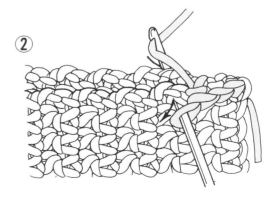

引き抜き編みとじ ·························· かぎ針を使って、編み地の半目内側または1目内側に針を入れ2枚いっしょに引き抜き編みでとじます。細編みのほか中長編み、長編みにも応用できます。

表に合わせてすくう 　　　細編み目

①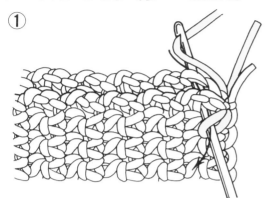

②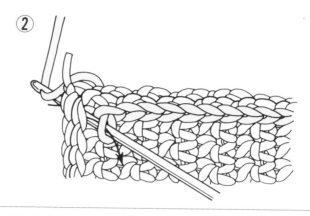

細編みと引き抜き編みとじ ············· かぎ針を使い2枚の編み地の段と段の境をいっしょにすくって引き抜き編みをします。細編みと細編みの間はつれないように鎖編みを編みます。透かし模様などにも応用できます。

表に合わせて編む 　　　長編み目

①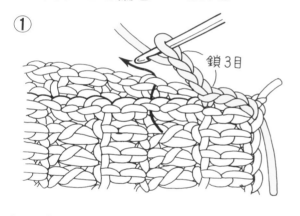

鎖3目

②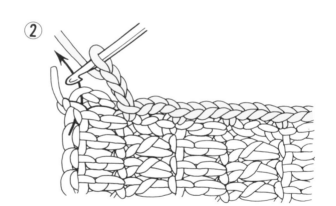

表に合わせて編む 　　　ネット編み目

①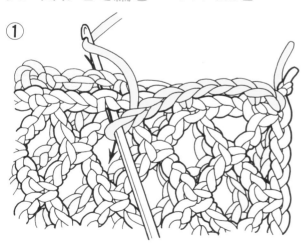

②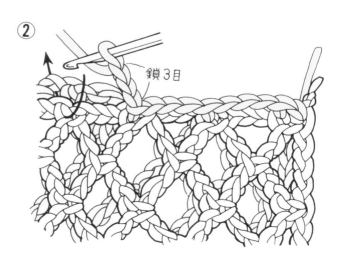

鎖3目

斜線の編み地のとじ方

編み地の端が増し目や減らし目で斜線になっているときのとじ方の参考例です。作品によっていろいろな斜線がありますが、美しい作品を作るとじ方を工夫しましょう。

増し目斜線のすくいとじ

表を見てすくう　　細編み目

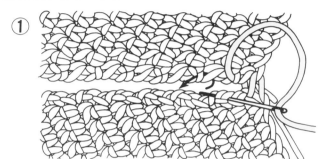

表を見てすくう　　長編み目

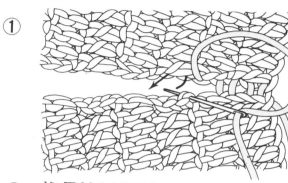

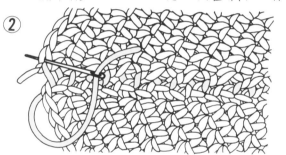

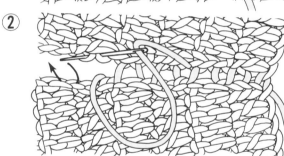

減らし目斜線のすくいとじ

表を見てすくう　　細編み目

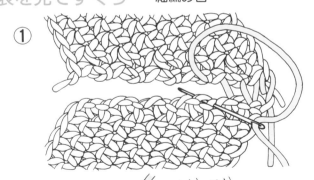

表を見てすくう　　長編み目

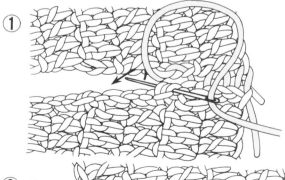

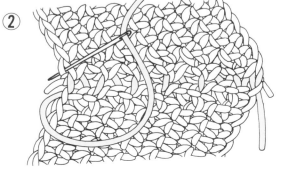

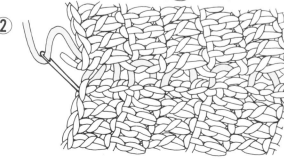

配色糸のかえ方

細編みや長編みのようなプレーンな編み地も配色をすることでカラフルなセーターが楽しめます。編み目をくずさず、きれいに横縞が編める糸のかえ方です。

編み地の端で編み糸をかえる場合

端を結ばずにかえる………

編んできた糸の端と新しい糸の端を結ばずに新しくかえる糸で、編み終わりの目を完成させるループを引き抜きます。編み上げてから糸端を交差して編み地の中にくぐらせて始末します。

糸のかえ方

糸端の始末

両面編み（細編み編み地）

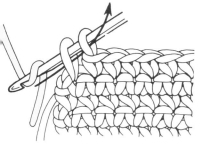

片面編み（輪編みの細編み編み地）

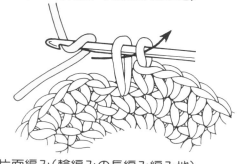

両面編み（細編み編み地）

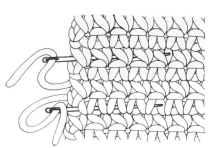

両面編み（長編み編み地）

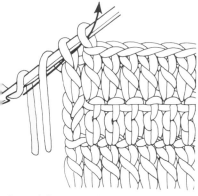

片面編み（輪編みの長編み編み地）

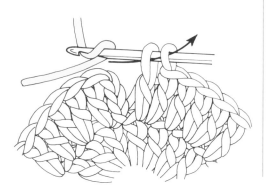

両面編み（長編み編み地）

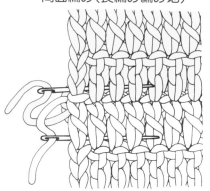

端を結んでかえる………

編んできた糸の端と新しい糸の端を結んでから、新しい糸で編み終わりの目を完成させるループを引き抜いて編み上げます。糸端はあとから編み地の中にくぐらせて始末します。

両面編み（細編み編み地）

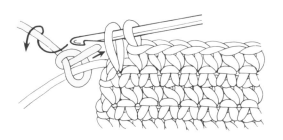

両面編み（長編み編み地）

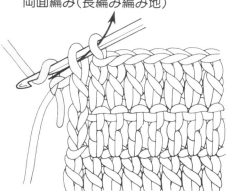

編み糸を渡してかえる‥‥‥‥‥
編んできた糸を切らずに休ませて糸をかえ、編み終わりの目を完成させ
ループを引き抜いて編み上げます。再び休ませた糸で編むときに、段の
さに応じて糸を渡して編みます。

両面編み（細編み編み地）

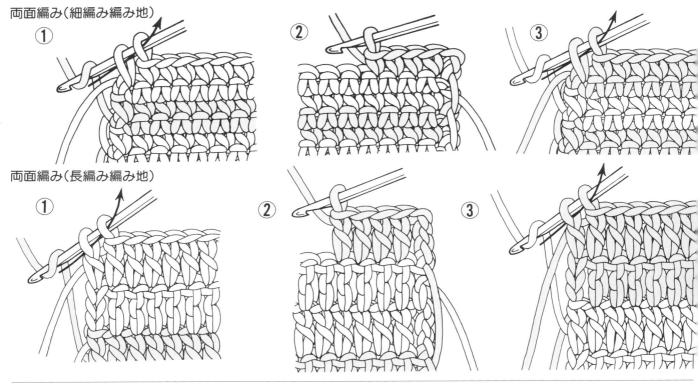

編み地の中間で編み糸をかえる場合
糸端を結ばずにかえる‥‥‥‥‥‥‥‥‥‥
1段の途中で糸をかえて編む目の手前の編み目を完成させ
ループを新しい糸で引き抜いてそのまま編み進みます。

両面編み（細編み編み地）

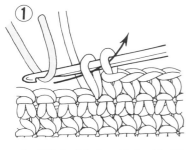

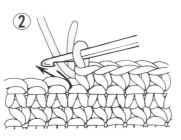

両面編み（長編み編み地）

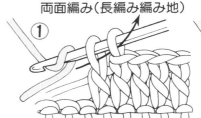

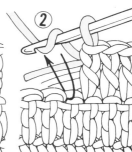

糸端を結んでかえる‥‥‥‥‥‥‥‥‥‥
新しくかえる糸の端を結んで、糸をかえて編む目の手前の編
目を完成させるループを新しい糸で引き抜いて編みます。

両面編み
（細編み編み地）

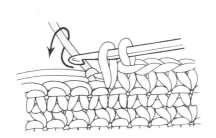

両面編み
（長編み編み地）

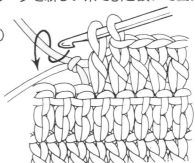

編み込み模様の編み方

いろいろな編み目を組み合わせた模様編みは編み物独特の美しさがあります。しかしプレーンな編み地を使って多くの色で絵画風や、幾何学的な図柄を描きだす編み込み模様はオリジナリティを生かす編み物には欠かせません。その編み込み模様をすっきりと編むテクニックです。

編み糸を外に渡して編む方法

編みの作り目で糸をかえる‥‥‥‥‥

編んできた糸を切らずに休ませて、新しい糸をつけて編み進みます。休ませる糸は手前におきます。再び休ませておいた糸で編むときは、渡す目数の長さに応じて糸を伸ばしておきます。

の目の鎖編み目

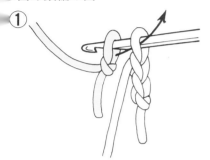

①

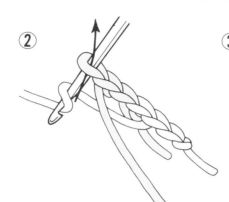

②

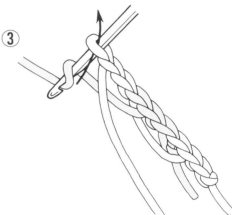

③

み地の裏側に糸を渡す‥‥‥‥‥

編み地の表を見て編むときは休ませておく糸を向こう側に（編み地の裏側）におき、裏側を見て編むときは手前側におきます。渡す糸は目数の幅に合わせてつれないように渡します。

み地の表側（細編み編み地）

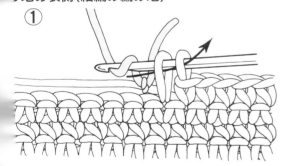

①

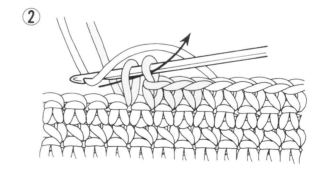

②

み地の裏側（細編み編み地）

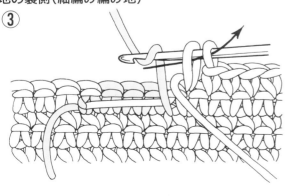

③

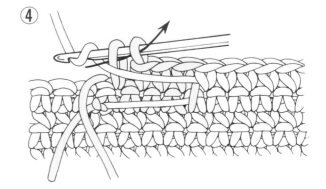

④

91

渡る糸を編み地の中に入れて編む方法

渡る糸が編み地の外側に出ないように編み目の中に編み込んでしまう編み方です。休めた糸を同じ段で編みくるむ方法と、1段めは編み地の裏側に糸を渡して編み、2段めからは編んでいる段の糸は編み地の裏側に渡して編みながら、前段の渡った糸をすくい上げて編みくるんでいく方法があります。

同じ段で編みくるむ　細編み編み地

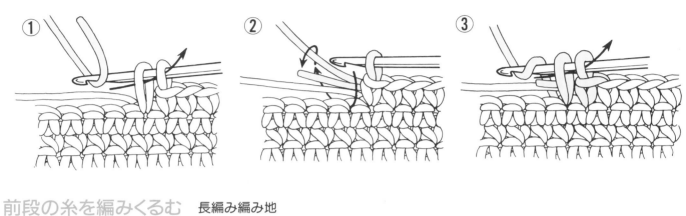

前段の糸を編みくるむ　長編み編み地

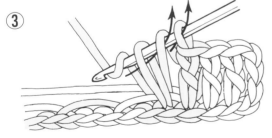
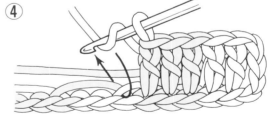
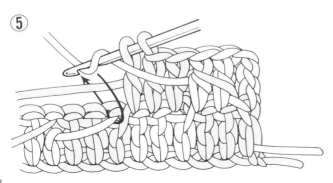
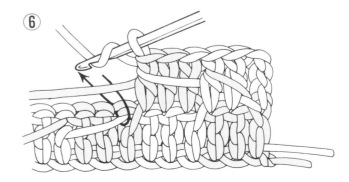

糸を交差して編む方法

編み地の裏側で編んできた糸と休ませておいた糸を交差して編みます。糸をかえるたびに交差するので糸の玉をいくつもつけて編むことになりますが、糸が渡らずにきれいに編めます。縦縞模様に最適です。

縦縞模様　　細編み編み地

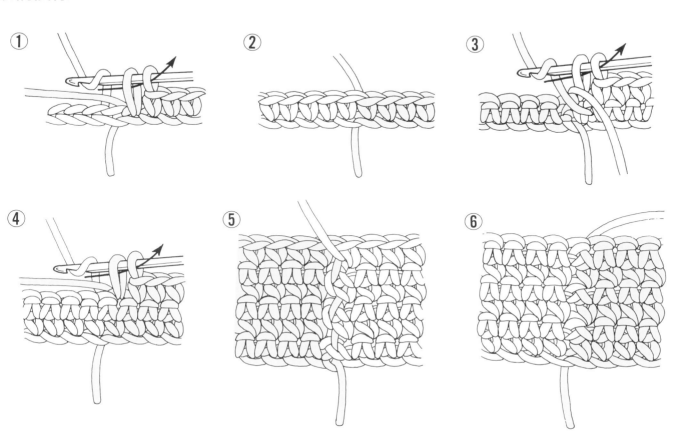

縦縞模様　　長編み編み地

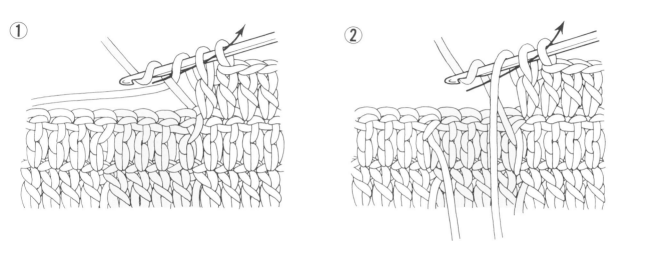

モチーフ編み

モチーフ編みは同じ編み方の一単位を何枚も編みつないで、大きな作品に仕上げるレース編みです。モチーフの形は円形や、三角、四角、六角、八角形など対角線で結ばれる対称形が基本になります。同じモチーフでも並べ方によって作品の表情が変わります。モチーフの編み方は中心から外に向かって編み広げるものが一般的ですが、一辺から編み始めたり、角から編み進んだりすることもあります。

編み方のポイント

中心から編み始めるモチーフは作り目の輪が解けないように、糸を2本にするか鎖編みでしっかりと作ります。また2・3段編んだら輪から出ている糸端を引き締めて中心を整えます。また、放射状に編むモチーフは外回りがつれないように注意して進みます。円形は各段の円周に従って、また、三角形や四角形、六角形など角ができる場合は角で目増して編み、ときどき平らなところに置いて外回りがつれていないかを確かめます。特にモチーフをつなぐとき、角集まったところがつれないように鎖編みの数を調節して編みましょう。

鎖編みの輪

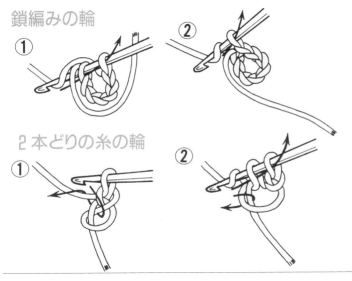

三角形

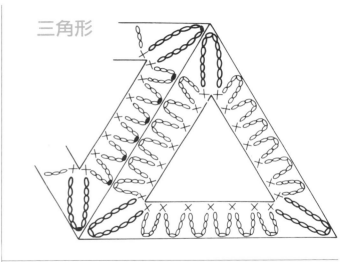

四角形

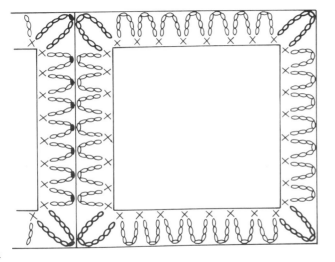

六角形

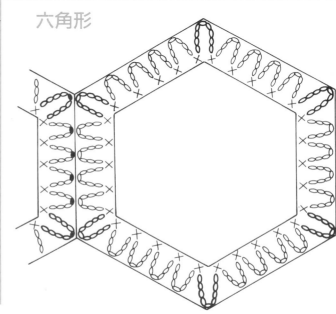

モチーフはつなぐときの配置でモチーフとモチーフの間に空間ができたり、透き間なく並んだりします。その配置で思いがけない別のモチーフのように見えたり、空間に新しいモチーフを編み入れることもあります。同じモチーフでも、配置によってまったく違ったモチーフに見えてくるのが、モチーフレース編みのおもしろさです。次によく編まれる5種類のモチーフで並べ方の基本を覚えましょう。

四角形の辺を合わせて並べる

縦横とも透き間なく並べます。でき上がりの周囲の辺がまっすぐな正方形、長方形になります。

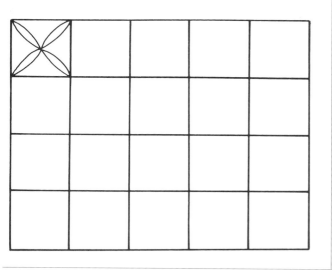

四角形を斜めに並べる

辺を合わせるのと同じようですが、モチーフが互い違いになります。でき上がりは大まかな正方形、長方形になり、その辺が山形状になります。

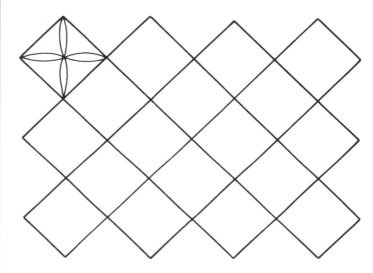

六角形の辺を合わせて並べる

それぞれの辺を合わせて透き間なく並べます。縦横に並べると長方形になり、周囲に並べると六角形にでき上がります。

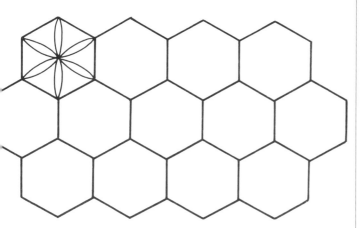

六角形の角を合わせて並べる

それぞれの角だけを合わせて並べます。モチーフとモチーフの間に正三角形の透き間ができます。でき上がりは長方形、六角形になります。

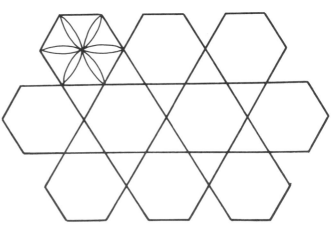

八角形の辺を合わせて並べる

一辺おきに合わせて並べます。モチーフの間に正方形の透き間ができます。でき上がりは正方形や長方形になります。

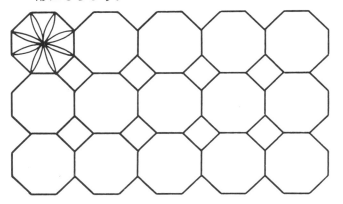

八角形の角を合わせて並べる

それぞれの角を合わせて並べます。モチーフの間に十字の透き間ができます。でき上がりは正方形や長方形になります。

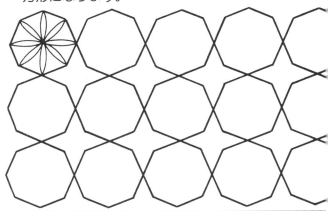

円形を縦横にまっすぐ並べる

八角形の並べ方を応用します。モチーフの間に角のとがった四角形の透き間ができます。でき上がりは正方形や長方形になります。

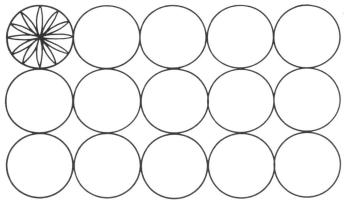

円形を交互に並べる

六角形の並べ方を応用しますが、モチーフどうしを無理に合わせるとつれますから、平らにおいて、できた透き間は無理につながずにあけるようにします

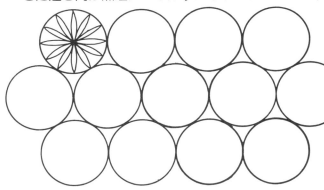

三角形の辺を合わせて並べる

四角形や六角形の並べ方を応用してそれぞれの辺を合わせます。でき上がりは長方形や六角形になります。

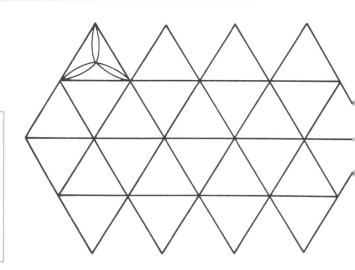

ワンポイントアドバイス

モチーフの並べ方は形によってまだこのほかにも違った方法がありますが、どの場合でも平らに並べてみて互いに引っ張られないように透き間を作るのがコツです。小さな透き間はその形がレース編みを引き立てますが、あまり大きいと作品のでき上がりが不安定になりますから、さらに小さいモチーフなどで埋めるようにします。

チーフのつなぎ方

チーフ編みはモチーフそのものと、配置とつなぎ方によって思いもかけない美しさが表現されます。つなぎ方にはモ
ーフを編みながらその最終段でつなぐ方法と、完成したモチーフを編みためておいてつなぐ方法があります。そして、
ぐテクニックもいろいろありますからモチーフに合った方法を選んでつなぎます。また、透き間が大きくなるとき
0ページの空間の埋め方を参考にしましょう。

チーフの最終段でつなぐ方法

A 引き抜き編みでつなぐ ……………………

鎖編みを割って針を入れて編みます。ネット編みやピコット編みを
つなぐ場合によく使われ、つなぎ目が平らに仕上がります。

① 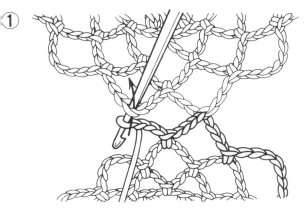　②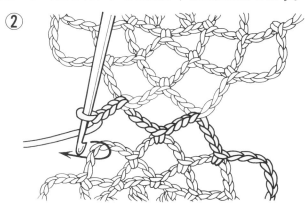

B 引き抜き編みでつなぐ ……………………

編み目から針をはずして相手のモチーフの表側から入れ、表に引き
出して編みます。この方法は細編みや長編みでも応用できます。

① 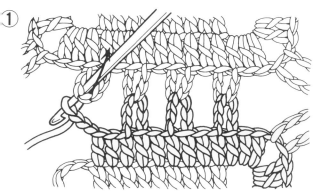　②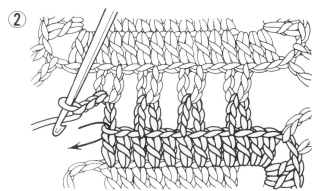

編みでつなぐ ……………………………………

つなぐ相手のモチーフの裏側から針を入れて細編みを編みます。
ネット編みやピコット編みをつなぐ場合によく使われます。

① 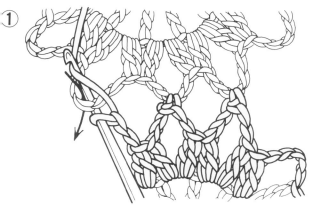　②

長編みでつなぐ ‥‥‥‥‥‥‥‥‥‥‥‥‥‥ つなぐ相手のモチーフの裏側から針を入れて長編みを編みます。
モチーフの間を離したいときに使われます。

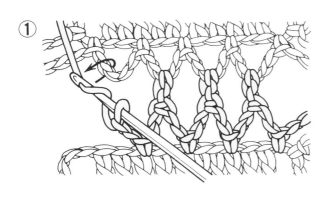

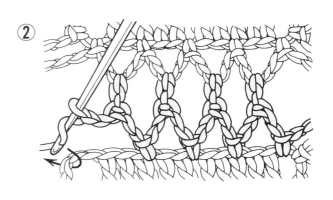

完成したモチーフをつなぐ方法

A引き抜き編みでつなぐ ‥‥‥‥‥‥‥‥‥ モチーフの表側から針を入れ、針に糸をかけて矢印のように下ス
引き抜きます。

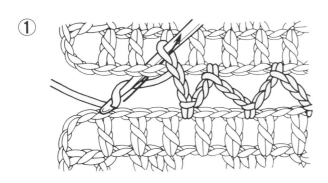

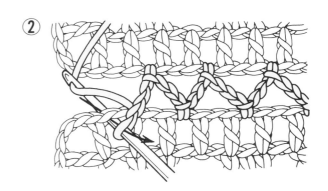

B引き抜き編みでつなぐ ‥‥‥‥‥‥‥‥‥ つなぐときに編み目から針をはずし、相手のモチーフの表側か
れてその目をねじらないように針にかけ、表に引き出して編み

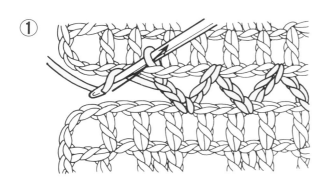

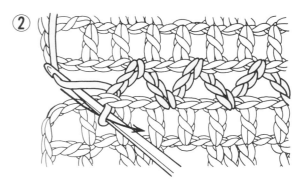

細編みでつなぐ

向こう側のモチーフは裏側から針を入れ、手前側のモチーフは表側から針を入れて、それぞれ細編みを編みます。

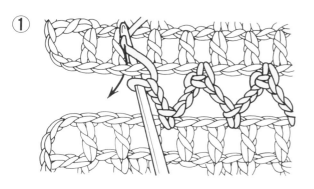

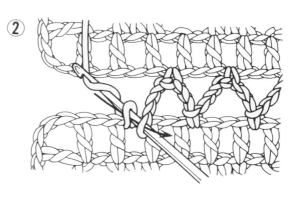

長編みと長編みでつなぐ

向こう側のモチーフは裏側から針を入れて長編みに、手前側のモチーフは表側から針を入れて長編みを編みます。長編みの間の鎖編みの数で長編みの間隔を調節します。

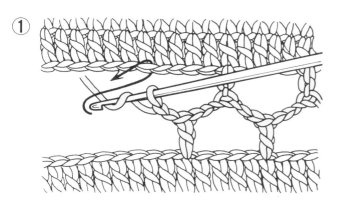

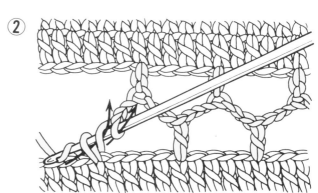

長編みと長編みでつなぐ

手前側のモチーフの表側から針を入れて未完成の長編みをし、また長編みを編むように針を糸にかけ向こう側のモチーフの裏側から針を入れ、未完成の長編みをします。再び針に糸をかけて針にかかっているループを全部引き抜きます。

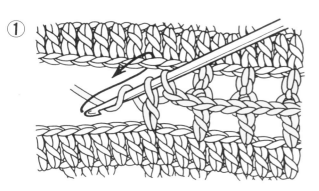

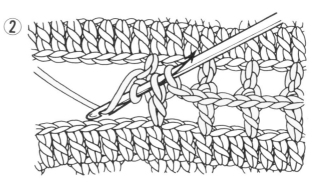

空間の埋め方 ·············

モチーフの透き間が大きいと仕上がった作品が安定しません。
鎖編みや長編みで透き間を埋めて作品を落ちつかせます。

A　中心からモチーフに向かって細編みと鎖編みと引き抜き編みで埋めます。

B　中心からモチーフに向かって細編みと鎖編みと細編みで埋めます。

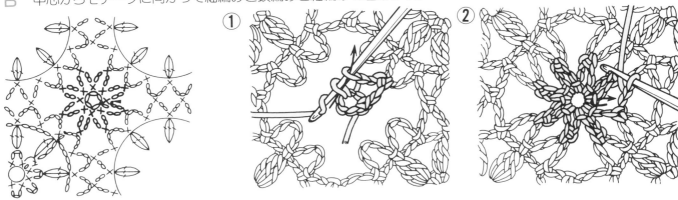

C　モチーフから中心に向かって細編みと鎖編みと逆Y字編みで埋めます。

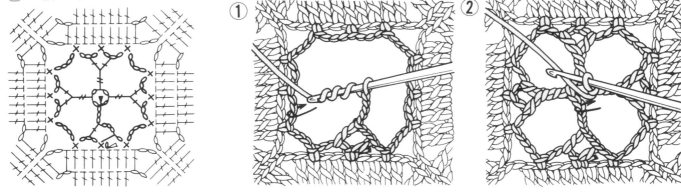

D　モチーフから中心に向かって長々編みで埋めます。

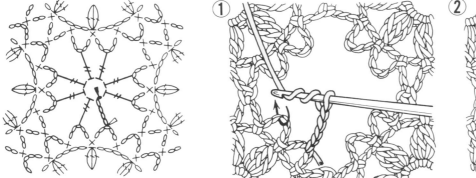
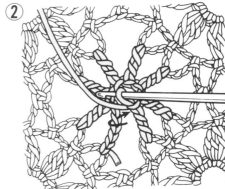

100

ボタンホールとボタンループ

ボタンをかけるボタンホールやボタンループは、作品を作るときに一番実用性のある
テクニックです。ボタンホールは打ち合わせのある場合で編み地の中にあけます。
ボタンループはつき合わせ仕立ての場合で編み地の端に作ります。

ボタンホール

編み地の中にボタンをかける穴を作ります。編み目に対して平行に仕上げるので、例えば身頃を編みながら操作すると横
穴になります。また、前端から拾い目をして編む前立ての場合は縦穴になります。

横編み編み地にあける場合 ・・・・・・・・・・ ボタンホールをあける位置で鎖編みを編み、前段の目をとばして編み進みます。
次の段で鎖編みの中にとばした数と同じ目数の細編みを編み入れます。

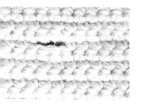

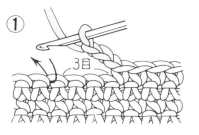

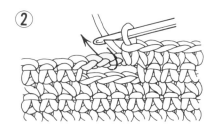

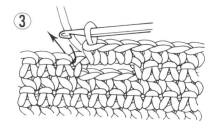

縦編み編み地にあける場合 ・・・・・・・・・・ ボタンホールの大きさの1目手前まで編んで別糸をつけてボタンホールの大きさ
（前段で休ませる目数）と同じ目数の鎖編みを編み、休ませる目の1目先に引き
抜き編みで止めて糸を切ります。休ませた編み糸で別糸をつけた目に長編みを編
み入れ、続けて鎖編みの裏側のコブを拾って少し長さをつめた長編みを前段で休
ませた目数だけ拾って編みます。引き抜き編みをした目にも長編みを編み入れて
そのまま編み進みます。

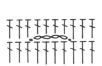

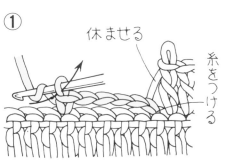

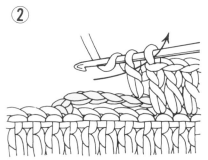

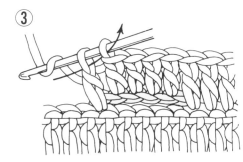

ボタンループ ……… 編み地の端にボタンをかけるループを作ります。作り方によってループの太さが違う。ボタンの大きさやデザインに合わせて選びます。

細編みのループ ●●●●●●●●●●●●●●●●●●●●●●●●●●●●

ループを作る位置で鎖編みを編んで、かぎ針を抜きます。ボタンの大きさに合わせて後ろの目にかぎ針を入れ、はずした鎖編みを引き出して鎖編みをすくい、細編みを編み入れます。編み入れる細編みは鎖編みの数より1目か2目多く編みます。

①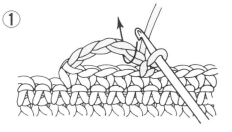
②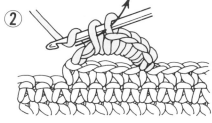
③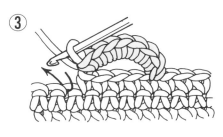

引き抜き編みのループ ●●●●●●●●●●●●●●●●●●●●●●

ループを作る位置で鎖編みを編んで、かぎ針を抜きます。ボタンの大きさに合わせて後ろの目にかぎ針を入れ、はずした鎖編みを引き出して鎖編みの裏側のコブをすくい、引き抜き編みをします。

①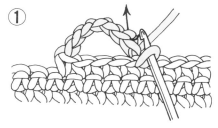
②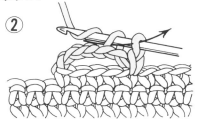
③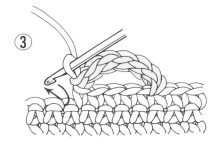

ボタンホールステッチのループ ●●●●●●●●●●●●●

とじ針にループを作る糸を通して、最初にボタンホールステッチをする芯糸を渡します。2本の芯糸をすくってボタンホールステッチをします。ボタンホールステッチは芯糸が見えないようにきっちりとかがります。

①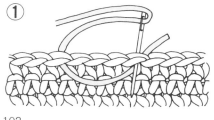
②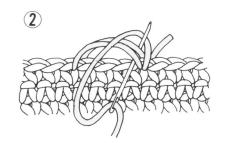
③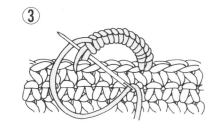

コードの作り方

一般にはベルトや飾りひもに使われます。糸を何本も引き揃えて太いコードを作ったり、素材を選ぶことでおしゃれなコードも作れます。技法によっては配色を楽しむこともできます。

き抜き編みコード

コードの長さより10パーセント長く鎖編みを編みます。鎖編みがつれないように鎖編みの裏側のコブをすくって引き抜き編みをします。

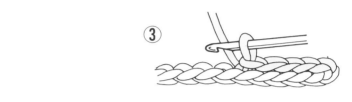

③

①

②

び編みコード

鎖編みを1目編んで下の結び目に針を入れて細編みを編みます。編み地を左に回して裏に返します。④図のように細編みの足に針を入れて細編みを編みます。また、編み地を左に回して⑧図のように針を入れて細編みを編みます。④～⑦図をくり返します。

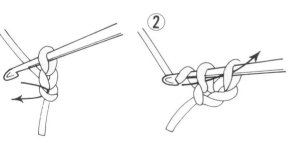

①

②

③
回す

④

⑨

⑤

⑥

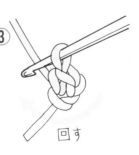

⑦
回す

⑧

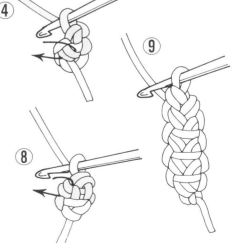

二重鎖編みコード

鎖編みを1目編んで鎖編みの裏側のコブをすくって糸を出します。引き出した輪を針からはずし、針にかかって輪を鎖編みにします。引き出してはずした輪に針を入れを引き出します。左右の鎖編みが同じバランスになるよ注意をして編みます。

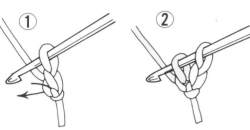

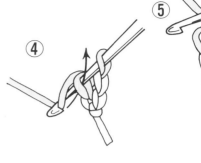

変わり二重鎖編みコード

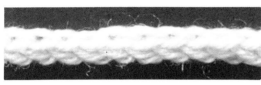

編み糸を作り目のように針に巻き、さらに別糸を針にか矢印のように引き出します。再び別糸を向こう側からすて編み糸をかけて③図の矢印のように引き出します。④をくり返します。

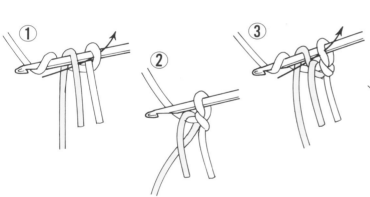

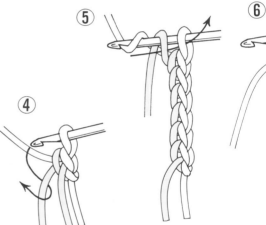

四つ組みコード

4本の糸を2本ずつ交互に組み合わせて作ります。組み配色の出方が変りますから同じ方向に組むようにしますの寸法はでき上がり寸法の約1.4倍の長さが必要です。

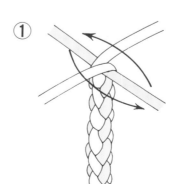

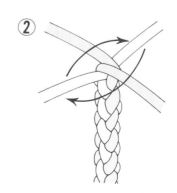